L'autre histoire
de l'indépendance

PIERRE DUBUC

L'autre histoire
de l'indépendance

De Pierre Vallières à Charles Gagnon
De Claude Morin à Paul Desmarais

Essai

ÉDITIONS TROIS-PISTOLES

Éditions Trois-Pistoles
31, route Nationale Est
Paroisse Notre-Dame-des-Neiges
G0L 4K0
Téléphone : 418-851-8888
Télécopieur : 418-851-8888
C. élect. : ecrivain@quebectel.com

Éditions du Renouveau québécois
3575, boul. Saint-Laurent, bureau 117
Montréal
H2X 2T7
Téléphone : 514-843-5236
Télécopieur : 514-849-0637
C. élect. : autjour@microtec.net

Conception de la couverture : Olivier Lasser
Montage : Réjean Mc Kinnon

Les Éditions Trois-Pistoles bénéficient des programmes
d'aide à la publication du Conseil des Arts du Canada, du
ministère du Patrimoine (PADIÉ), de la Société de
développement des entreprises culturelles du Québec
(SODEC) et du programme de crédit d'impôt pour
l'édition de livres du gouvernement du Québec (gestion
Sodec).

En Europe (comptoir de ventes)
Librairie du Québec
30, rue Gay Lussac
75005 Paris, France
Téléphone : 43 54 49 02
Télécopieur : 43 54 39 15

ISBN 2-89583-076-2
Dépôt légal : Bibliothèque nationale du Québec, 2003
Dépôt légal : Bibliothèque nationale du Canada, 2003

« Les questions fondamentales et brûlantes qu'aborde cet essai ont trop souvent été négligées. »

– Pierre Vallières, *L'Urgence de choisir*

« Je lui réponds en boutade que le mieux serait pour lui de mettre la main sur un des agents que la CIA avait déjà probablement placés dans le PQ et à l'utiliser aussi pour les fins de la RCMP. »

– Claude Morin

À ma conjointe, Ginette Leroux

À Jean-Claude Germain
et à toute l'équipe de *l'aut'journal*

INTRODUCTION

L E POINT DE DÉPART de ce livre est l'année 1972 où nous retrouvons la genèse des grands courants politiques qui marqueront la vie politique du Québec des trente dernières années. C'est en 1972 que Pierre Vallières publie *L'Urgence de choisir*, livre dans lequel il tire les leçons de la Crise d'octobre et de l'expérience felquiste. Prenant la mesure du rapport de force entre le pouvoir et les groupes révolutionnaires, de l'assassinat des leaders des Black Panthers, du révérend Martin Luther King et de Che Guevara, Vallières prône l'abandon de la théorie du foyer révolutionnaire, une voie sans issue, devenue l'objet des manipulations policières.

L'auteur de *Nègres blancs d'Amérique* proclame que la lutte de masse au Québec doit emprunter la voie électorale et il préconise l'entrée de la gauche dans le Parti québécois où l'alliance entre les souverainistes, le mouvement syndical et les membres des comités de citoyen est en train de se cristalliser. Un développement qui ne manque pas de jeter la frénésie dans le camp fédéraliste. Vallières écrit alors que « le mouvement indépendantiste québécois a un contenu objectivement progressiste et révolutionnaire » et que « le PQ constitue la principale force politique stratégique de ce mouvement indépendantiste ».

1972 est aussi l'année de la publication de *Pour le parti prolétarien* de Charles Gagnon. Conçu à l'origine comme une réponse à Pierre Vallières, le pamphlet de Charles Gagnon deviendra l'acte fondateur du mouvement maoïste québécois dont les principaux protagonistes seront le groupe En Lutte et la Ligue (marxiste-léniniste) du Canada qui prendra par la suite le nom de Parti communiste ouvrier (PCO). Ces deux groupes pour leur part feront du Parti québécois leur principal ennemi et appelleront à l'annulation lors du référendum de 1980.

1972 est également le moment que Claude Morin, mandarin de la fonction publique québécoise, choisit pour adhérer au Parti québécois dont il deviendra bientôt le stratège en chef. L'ancien stratège constitutionnel de Robert Bourassa convainc tout d'abord René Lévesque, puis l'ensemble du Parti québécois, d'adopter sa stratégie de « l'étapisme » dont l'objectif est de repousser le plus loin possible dans le temps le moment où le peuple québécois pourra se prononcer sur son avenir constitutionnel. Vingt ans plus tard, il sera révélé qu'à ce moment-là, Claude Morin était un agent rémunéré des services secrets canadiens.

L'influence de ces trois hommes et l'impact de leurs idées sur l'évolution de la situation politique du Québec marqueront leur époque et se répercuteront bien au-delà de la période où ils ont été actifs. Les débats qui ont paralysé la gauche québécoise et les crises qui ont secoué le Parti québécois ne prennent tout leur sens que dans le contexte d'un intense chassé-croisé entre le Québec, le Canada la France et les États-Unis.

Notre époque doit tirer les leçons d'une période sur laquelle règne toujours un flou artistique qui masque les véritables intérêts de ses protagonistes dont les alliances et les revirements apparaissent souvent aussi inexplicables qu'improbables.

Avant d'aborder une nouvelle phase dans la lutte pour l'indépendance du Québec, il importe que la gauche québécoise fasse le bilan de son dernier rendez-vous manqué avec l'histoire.

Chapitre premier

Pierre Vallières et l'urgence de choisir

QUAND PIERRE VALLIÈRES fait paraître dans *Le Devoir* des 13 et 14 décembre 1971 de larges extraits de *L'Urgence de choisir*, il s'agit d'une véritable bombe politique. L'auteur de *Nègres blancs d'Amérique* effectue un tournant majeur. Tirant les leçons de la Crise d'octobre, mais également des revers du mouvement révolutionnaire américain et latino-américain, Vallières condamne le recours à la théorie de la « violence révolutionnaire ». Prenant également acte du développement fulgurant du Parti québécois, créé trois ans auparavant, il propose à la gauche d'y voir une force potentiellement révolutionnaire et d'en joindre les rangs. Tout un revirement pour quelqu'un qui avait jusque-là dénoncé l'électoralisme et voyait dans le développement du nationalisme « petit-bourgeois » québécois poindre l'ombre du fascisme.

Pierre Vallières s'était rendu célèbre avec la publication de *Nègres blancs d'Amérique* – *autobiographie précoce d'un « terroriste » québécois*. Ce livre synthétisait la colère et les idées de toute cette génération de jeunes révoltés de la fin des années 1950 qui allaient, au cours de la décennie suivante, s'identifier au mouvement révolutionnaire de décolonisation – plus particulièrement à la révolution cubaine – et promouvoir une solution révolutionnaire à la question du Québec. On retrouve dans *Nègres blancs* l'interprétation que se faisait cette génération de l'histoire du Québec, perçue comme une colonie de porteurs d'eau et de scieurs de bois. S'y élabore également le projet d'un Québec socialiste, encore rudimentaire et fragmentaire, dont curieusement les références ne sont pas Marx ou Lénine, mais les économistes Baran, Sweezy et André Gunder Frank de la revue américaine *Monthly Review* qui avaient, à cette époque, beaucoup d'influence sur la gauche québécoise.

Cependant, les plus belles pages de *Nègres blancs* sont sans conteste celles dans lesquelles Vallières relate son enfance à Ville Jacques-Cartier, dans ce bidonville de Coteau rouge où les maisons étaient en tôle et les égouts à ciel ouvert. Tout le génie de Vallières est d'avoir brillamment résumé notre histoire et notre condition de Québécois dans ce si beau titre de *Nègres blancs d'Amérique*. C'était l'envers, dans un effet de miroir, du discours de l'oppresseur anglophone et de son arrogant « *Speak White* ». Vallières avait saisi l'essence même de notre américanité, dirions-nous pour employer une expression à la mode. Une américanité bien différente du mythe, que certains essaient de propager, du Québécois émule du colon américain de la Frontière.

Les conditions de la rédaction de *Nègres blancs* ne sont pas étrangères à cette perspective. Le manuscrit a été rédigé en prison, au Tombs, la sinistre *Manhattan House of Detention for men* où la très grande majorité de la population carcérale était composée de Noirs. Pierre Vallières et Charles Gagnon y ont été incarcérés à la fin de 1966 et au début de

1967. Le livre a été écrit après une grève de la faim de 29 jours.

Vallières et Gagnon y ont été emprisonnés pour avoir manifesté devant les Nations Unies les 25 et 26 septembre 1966 pour réclamer le statut de prisonniers politiques pour leurs camarades incarcérés à Montréal et faire connaître au monde entier la lutte de libération nationale du peuple québécois. Vallières et Gagnon s'étaient réfugiés à New York auprès de groupes de militants des Black Panthers après la dislocation par les forces policières du réseau felquiste qu'ils venaient de mettre en place.

Vallières et Gagnon s'étaient connus à l'Université de Montréal au début des années 1960. Ils avaient tous les deux participé à la revue *Cité Libre* animée par Gérard Pelletier et Pierre Elliott Trudeau. En 1964, les deux rompent avec *Cité Libre* et créent la revue *Révolution québécoise* où ils prônent l'indépendance du Québec, mais critiquent le nationalisme et mettent de l'avant les luttes ouvrières. À l'automne 1965, ils optent pour le FLQ et la clandestinité.

Après une série d'actions violentes dont le dépôt de bombes à l'usine Lagrenade et à la Dominion Textiles lors de conflits de travail, le réseau est démantelé par la police; Vallières et Gagnon se réfugient à New York.

Dans la revue clandestine *L'Avant-garde*, publiée en 1966, Vallières et Gagnon avaient jeté les fondements idéologiques de cette nouvelle vague du FLQ au contenu plus social que la première nettement plus nationaliste. Dans *Le FLQ : un projet révolutionnaire, Lettres et écrits felquistes (1963-1982)*, sont reproduits les principaux écrits de cette époque. S'inspirant de la *Guerre de guérilla* de Che Guevara et de *Révolution dans la révolution* de Régis Debray, Vallières et Gagnon proposent une véritable guerre de libération. Dans un texte intitulé *Le combat du FLQ, son but, ses moyens*, Vallières écrit qu'il s'agit de « fournir au peuple l'occasion, les motifs et les moyens matériels a) de se soulever contre l'autorité établie, b) de conquérir le pouvoir de l'État et, finalement, c) de substituer un « ordre nouveau » aux anciennes structures, la conquête du pouvoir ou l'indépendance ne devant être qu'une étape sur la voie de la transformation politique, économique, sociale et culturelle du pays ».

Plus loin, dans le même texte, il résume de la façon suivante les buts tactiques de cette guerre de partisans :

« 1) affaiblir l'infrastructure coloniale, son système de communications, son économie, son gouvernement, ses institutions; 2) désorienter les forces de répression, les diviser, les disperser, les démoraliser et les désorganiser complètement; 3) enfin, gagner le soutien de la population, obtenir sa confiance en lui prouvant qu'on est une force sur laquelle elle peut compter pour remplacer l'ordre établi et se libérer efficacement. »

Vallières identifie trois phases à cette lutte de libération :

« 1) conquête d'un soutien populaire suffisamment étendu à l'idée d'indépendance; 2) ouverture d'une période d'actions directes dans le but de provoquer une première brèche dans l'ordre établi, d'exalter les passions populaires, d'obliger le régime à se révéler publiquement tel qu'il est et de saper le moral des adversaires; 3) enfin, l'offensive générale. »

Vallières et Gagnon considéraient que la situation au Québec commandait l'ouverture de la deuxième phase.

De plus, « pour intégrer les masses à la lutte de libération nationale », les deux auteurs donnent au FLQ le mandat de susciter la création de « comités populaires de libération » sur l'ensemble du territoire. Vallières donne des exemples possibles de l'activité de ces comités : s'emparer d'une scierie fermée et la faire fonctionner sans l'assentiment de ses propriétaires; regrouper les éléments les plus dégourdis de la population d'un quartier populaire comme Saint-Henri et les amener à aller saisir les équipements scolaires et sportifs de Westmount; voler un camion de Steinberg pour assurer la distribution de vivres à des travailleurs en grève; pour régler le problème du logement, rénover et « exproprier » les logements rénovés. Ces actions devaient se faire sous la protection armée du FLQ. Toutes ces formes d'action étaient inspirées par celles mises de l'avant par les Black Panthers aux États-Unis.

Vallières résumera dans *Les Héritiers de Papineau* la perspective qui était alors la leur : « Comme les radicaux du mouvement noir américain (SNCC, Black Panthers), nous avions le sentiment de participer par notre action à la construction d'une avant-garde continentale et multiraciale. » Ce bref résumé nous aide à comprendre l'orientation générale du FLQ de Vallières et Gagnon. Soulignons, au passage, que les cellules Libération et Chénier en 1970 partageaient les mêmes visées.

Difficile aujourd'hui de relire ces textes sans s'étonner de la naïveté de leurs auteurs. Mais il faut se replacer dans le contexte de l'époque où régnait une grande agitation sociale et politique, au Québec mais également aux États-Unis, en Amérique latine et dans l'ensemble du monde. « Il était doux, en ce temps-là, écrit Vallières dans *Les Héritiers de Papineau*, de se raconter des histoires, de croire la révolution socialiste " imminente " un peu partout dans le monde et de penser que l'empire américain, embourbé au Viêt-nam, était sur le point de s'effondrer. »

Difficile également d'imaginer aujourd'hui l'influence considérable de la révolution cubaine et encore plus du mythe de cette révolution. Une douzaine de barbudos menés par Fidel Castro avaient débarqué à Cuba et quelque trois années plus tard, ils prenaient le pouvoir. Le mythe passait évidemment sous silence qu'ils avaient eu le soutien du Parti communiste cubain et avaient bénéficié de circonstances exceptionnelles.

□

Après quatre mois de détention au Tombs, Vallières et Gagnon sont libérés pour être aussitôt kidnappés par les autorités canadiennes et incarcérés à la prison de Bordeaux. Après une année d'attente, Vallières subit finalement son procès sous l'accusation d'homicide involontaire de Thérèse Morin, secrétaire à l'usine Lagrenade, tuée lors de l'explosion de la bombe placée par le FLQ. Son attitude, ses paroles et ses écrits lui valent une condamnation à perpétuité le 5 avril 1968.

Soulignons que des accusations de sédition furent alors portées contre Vallières pour la publication de *Nègres blancs d'Amérique*. Sur l'ordre du ministère de la Justice, la police saisit tous les exemplaires du livre en librairies et en stock, y compris l'exemplaire déposé par l'éditeur à la Bibliothèque nationale. Furent également poursuivis pour sédition Gérald Godin, Claire Dupond et les Éditions Parti Pris pour avoir publié le livre et Jacques Larue-Langlois pour avoir contribué à sa diffusion.

Un an plus tard, la Cour d'appel ordonne la tenue d'un nouveau procès, au terme duquel la sentence est commuée à trente mois de prison. Le 26 mai 1970, Vallières obtient sa remise en liberté provisoire après quarante-quatre mois de prison.

□

L'itinéraire militant de Vallières nous aide à comprendre le formidable changement de cap prôné dans *L'Urgence de choisir*. Dans ce texte, il tire les leçons des Événements d'octobre 1970, évalue le rapport de forces et prend ses distances avec le volontarisme guévariste. « On ne provoque pas, écrit-il, au nom du peuple l'armée du pouvoir en place quand on ne possède pas soi-même une armée dans laquelle un peuple peut se reconnaître, s'intégrer consciemment, et par un combat politique, s'acheminer vers la conquête du pouvoir politique et la réalisation de ses objectifs sociaux. » Et Vallières sait pertinemment que le FLQ ne constitue pas et n'a jamais constitué une telle armée. « Il n'y avait au Québec ni organisation révolutionnaire ni véritable mouvement de libération nationale », écrira-t-il plus tard dans *Les Héritiers de Papineau*.

On ne provoque pas le pouvoir sans raison d'autant plus si celui-ci, écrit Vallières dans *L'Urgence*, « recherche un affrontement qui, espère-t-il, lui fournira l'occasion d'écraser par la force le peuple québécois en détruisant les organisations qu'il s'est données pour s'affranchir : le PQ, les centrales syndicales, les comités de citoyens. La Crise d'octobre 1970 a fourni au pouvoir l'occasion d'une " répétition " générale de ce scénario classique ».

La conjoncture internationale des dernières années amène Vallières à une réévaluation de la stratégie à déployer. Dès 1967, rappellera-t-il dans *Les Héritiers*, l'assassinat à Oakland de

Bobby Hutton, l'arrestation de Huey P. Newton et l'exil algérien d'Elridge Cleaver, personnalités marquantes des Black Panthers, annonçaient l'effondrement et l'échec du mouvement révolutionnaire américain. Dans le même ouvrage, Vallières ajoute que « la mort du Che en 1967 marquait de façon spectaculaire et tragique l'échec de la lutte armée révolutionnaire coupée des masses et uniquement fondée sur le radicalisme impatient d'une avant-garde en colère ».

L'analyse proposée dans *L'Urgence* est beaucoup plus fine et complexe que ce simple constat du véritable rapport de forces entre l'impérialisme et les forces révolutionnaires. Vallières y va d'une analyse fort pénétrante de l'impérialisme américain et de ses relations avec le Canada et le Québec sur la question de l'indépendance du Québec. « Il faut se garder, dit-il, de l'illusion d'une indépendance facile. La bourgeoisie *canadian*, l'impérialisme américain et leurs valets autochtones vont résister avec la dernière énergie à notre volonté d'indépendance. »

Il poursuit :

« Trop d'illusions sont encore véhiculées au sujet des avantages que les États-Unis pourraient trouver à l'indépendance du Québec comme si le Canada tel qu'il est constitué présentement ne servait pas au maximum leurs intérêts impérialistes. »

Trente ans et deux référendums plus tard, cette analyse tient toujours la route. Que les

États-Unis aient exprimé à l'occasion un certain soutien aux revendications nationalistes du Québec – comme la fameuse déclaration d'un membre de la famille Rockefeller en faveur du français au cours des années 1970 – pour obliger le gouvernement Trudeau à mettre en sourdine ses velléités nationalistes, cela ne constituait certes pas un soutien à l'indépendance du Québec. Que Washington se soit servi de la déception des nationalistes québécois au lendemain du référendum de 1980 pour faire adopter le libre-échange – l'appui du gouvernement Lévesque au « beau risque » du Parti conservateur de Brian Mulroney – n'est pas non plus synonyme d'un appui à la souveraineté du Québec.

La réflexion de Vallières va beaucoup plus loin que le jeu politique à trois entre le Québec, le Canada et les États-Unis. Elle aborde ce qui constitue l'essence même de l'impérialisme, c'est-à-dire la division entre nations oppressives et nations opprimées où le Québec est bien évidemment dans le camp des nations opprimées.

Pour lui, la domination impérialiste s'exerce principalement sur les secteurs-clés de l'économie et suffit « pour influencer directement l'ensemble d'une collectivité, surtout d'une collectivité colonisée ». Il en tire la conclusion capitale que, dans le cadre d'un tel système, « l'édification d'un capitalisme national par une société comme le Québec, même avec l'aide d'un État souverain, est une impossibilité économique et politique ». Il prend alors le contre-pied des « marxistes » de l'époque qui attribuaient au PQ le noir dessein « de faire accéder la moyenne bourgeoisie à la position de bourgeoisie nationale ».

Cette question soulevée par Vallières est fondamentale à l'établissement de toute stratégie politique. Malheureusement, elle a été complètement escamotée au cours des dernières décennies. En fait, fort curieusement, fédéralistes et souverainistes partagent aujourd'hui la même conception d'une économie québécoise « moderne et normale », exempte d'oppression économique.

Que les fédéralistes tiennent ce discours n'a rien de surprenant. Ils ont toujours nié l'oppression nationale. Le retard économique du Québec s'explique selon eux historiquement par la présence de l'Église et de forces obscurantistes. La Conquête britannique est toujours présentée comme un facteur de progrès, de la même façon que les impérialistes soutiennent aujourd'hui que la voie de l'émancipation des pays du tiers-monde réside dans leur ouverture au marché mondial et l'adoption des mesures prônées par le Fonds monétaire international (FMI) et la Banque mondiale.

Au cours des années 1960, les souverainistes – et de façon plus large les nationalistes – reconnaissaient l'infériorité économique du Québec et en faisaient reposer la responsabilité sur la domination du Canada anglais et ʾ États-Unis. À défaut de la présence d'uɴ geoisie nationale signifiante, l'État québécois était perçu comme l'instrument privilégié pour redresser la situation. C'est à cette fin que furent créées une multitude de sociétés d'État comme Hydro-Québec, la Caisse de dépôt, la SGF, Rexfor (forêt), Sidbec (sidérurgie), Soquia (agriculture), Soquip (pétrole) et plusieurs autres. Plusieurs des initiatives prises en ce domaine par le gouvernement du Québec se sont butées à l'opposition des monopoles et des milieux d'affaires étrangers et n'ont pu être menées à terme. Les dirigeants souverainistes se sont ensuite convertis au cours des années 1980 au discours ambiant favorable aux privatisations. Plusieurs sociétés d'État ont été privatisées au profit d'amis du régime ou sont passées carrément en des mains étrangères. Aujourd'hui, les ténors souverainistes ne jurent plus que par la mondialisation. Jacques Parizeau prononce des conférences dans les départements d'économie des universités québécoises dans lesquelles il célèbre la mort des économies nationales ! En fait, les souverainistes ont adopté le discours des fédéralistes et des impérialistes.

Le problème est qu'aucune étude sérieuse sur l'économie du Québec n'a été produite depuis belle lurette. Les historiens, les économistes et les autres chercheurs potentiels ont tous adopté le discours libre-échangiste et néolibéral dominant selon lequel le Québec est une société « normale » d'où a disparu toute référence à l'oppression nationale. Chaque semaine, nous voyons des entreprises québécoises passer sous contrôle étranger, mais cela ne semble avoir aucune importance aux yeux des nationalistes québécois. Curieusement, au Canada anglais, nous ne comptons plus les ouvrages publiés pour dénoncer la vente aux enchères du Canada et la mainmise américaine sur l'économie du pays. Tout cela témoigne de l'état lamentable de nos sciences sociales où sont produites très peu de recherches indépendantes, mais où il y a toujours de généreuses subventions pour d'inoffensives recherches de « modélisation ».

Vallières proposait une toute autre perspective que le continentalisme et la mondialisation. « Il ne fait aucun doute, affirme-t-il, que pour tirer la société québécoise du sous-développement et du marasme, il faut que l'État québécois s'approprie, entre autres, le marché intérieur et l'élargisse par un bouleversement radical des formes d'appropriation, par la substitution de la propriété collective à la propriété privée (dans les secteurs-clés), seul moyen non seulement de libérer le pouvoir d'achat des masses ainsi que leur bien être social et culturel en fonction de leurs besoins et de leurs aspirations, en tenant toujours compte cependant du potentiel réel de production et des débouchés qui lui sont offerts. »

Sur la base de cette analyse économique de la domination impérialiste sur le Québec, Vallières développe ses nouvelles conceptions

31

politiques. Il reproche à la gauche de ne pas apprécier à sa juste valeur la « portée politique stratégique fondamentale » de la question de l'indépendance du Québec et de donner l'impression « de considérer le droit à l'autodétermination seulement comme un droit juridique abstrait » et sa revendication, comme un soutien au nationalisme « bourgeois. » Il invite la gauche à considérer le PQ « comme un instrument de libération, forgé par des Québécois pour les Québécois ».

Mais quelle appréciation portée sur les dirigeants du Parti québécois ? « Ils seront contraints, écrit Vallières, d'adopter un comportement plus révolutionnaire, à cause, d'une part, de l'hostilité des milieux d'affaires (anglo-américains et assimilés) au projet indépendantiste et surtout à toute politique québécoise de développement économique autonome (ne fût-ce que sur la base d'une " intervention " mitigée de l'État dans le système économique actuel) et, d'autre part, de l'ampleur des transformations sociales exigées par la population dans son ensemble. »

Mais, encore faudra-t-il que la gauche appelle et apporte son soutien à ces « transformations sociales » profitables à la population. Nous verrons plus loin qu'elle les a plutôt dénoncées !

Vallières appuie son analyse du rôle appréhendé des dirigeants péquistes sur l'exemple de la Révolution tranquille :

« À la fois au plan politique, au plan économique, au plan social et au plan culturel, la révolution tranquille provoqua des transformations dont la réalisation, même sous la forme mitigée qu'elles ont parfois revêtue, révéla et exacerba des antagonismes dont même les promoteurs les plus nationalistes ne soupçonnèrent pas, au début, la profondeur et les potentialités. »

Vallières sait aussi que toutes ces considérations politiques stratégiques échappent ou n'intéressent tout simplement pas une bonne partie de ses interlocuteurs, affairés sur le terrain des luttes sociales et économiques, et qui confondent lutte politique et lutte économique. Ainsi, dénonce-t-il l'économisme, le trade-unionisme, d'une certaine gauche qui « réduit la lutte politique à une suite de revendications économiques et sociales sans portée politique stratégique ».

Puis, sachant que ces mêmes personnes « opposent au nationalisme québécois l'unité abstraite des travailleurs québécois et des travailleurs ontariens et/ou américains », il rétorque que « la " pure conscience " que peuvent avoir des socialistes de la nécessité de cette unité ne la fait pas exister pour autant ».

Poursuivant son analyse de l'impérialisme, il rappelle avec raison que « la classe ouvrière de la nation dominante est intégrée au système monopoliste qui l'a associée à ses bénéfices dans une proportion suffisante pour qu'elle ait intérêt à le soutenir et à le défendre ». Comme

le « pauvre blanc » du Sud revendique l'asservissement du « Nègre », le pauvre anglophone
exige qu'Ottawa mette les « *french pea soup* » à
leur place, écrit-il avant de mettre de l'avant la
seule véritable base d'unité entre les travailleurs anglophones et québécois :

« La reconnaissance par les travailleurs
anglophones du Canada (et du Québec) du
droit pour la société québécoise de constituer
un État national indépendant est la condition
sine qua non de leur unité avec les travailleurs
québécois. »

CHAPITRE 2

LA CONTRE-CULTURE

L'APPEL DE VALLIÈRES ne sera pas entendu. La gauche radicale boudera le mouvement de libération nationale. Elle prendra une voie sans issue, se marginalisera avant de se faire hara-kiri. La responsabilité première de l'échec de cette stratégie retombe sur les épaules de Pierre Vallières qui s'est défilé sans chercher à mettre en pratique ce qu'il prônait. Dans *Les Héritiers de Papineau*, il raconte qu'une semaine avant la parution de *L'Urgence de choisir*, il écrivait à René Lévesque pour le rassurer en précisant qu'il « n'adhérait pas au PQ en tant que porte-parole d'une faction radicale, mais simplement en tant que citoyen parmi d'autres ».

En fait, Vallières a abandonné la lutte de libération nationale pour la contre-culture (l'alcool, les femmes, les hommes, la drogue, la musique). Il va s'installer à Mont-Laurier pour travailler dans une coopérative, financée par des fonds du gouvernement fédéral, où il est complètement coupé de la vie politique.

Toujours dans *Les Héritiers de Papineau*, il écrit :

« Il fallait CHOISIR. Choisir entre libération individuelle et libération collective, entre révolution culturelle et révolution politique, entre révolte et guérilla. J'avais, quant à moi, opté pour la lutte armée… sans pour autant renoncer au choix de ma liberté personnelle ni à l'affirmation de ma sensibilité singulière, de mes désirs " privés " et songes intimes. Même si je m'étais donné totalement à l'action, je poursuivais en secret autre chose, une sorte d'Ailleurs à la fois inaccessible et tout proche. »

En fait, Vallières avait déjà choisi « autre chose » que la lutte de libération nationale. Il avait choisi la libération individuelle, la contre-culture, le *Peace and Love*. Il abandonne la révolution sociale pour un « utopisme social qui rejoignait celui prêché par la revue *Mainmise*, née au début de 1970 » et dont « les auteurs plus ou moins anarchistes et libertaires favorisaient la formation à travers tout le territoire québécois d'unités de vie communautaires et non hiérarchisées, pluralistes et innovatrices ».

Bien entendu, la création d'un État national indépendant devenait beaucoup moins urgente, car, comme il le rappelle dans *Les Héritiers*, « la révolution culturelle n'avait pas de frontières. Elle pouvait affirmer partout ses valeurs positives, indépendamment des régimes politiques et des différences linguistiques. Elle n'avait donc pas besoin, pour être, du secours de l'État ».

Pourtant, dans *L'Urgence de choisir*, il avait de façon fort à propos critiqué cet esprit libertaire et ses effets sur le mouvement de libération nationale :

« Les contestataires d'octobre 68 ne doivent pas oublier qu'après avoir sabordé les associations étudiantes (l'UGEQ, l'AGEUM, l'AGEL, l'AGEUS, etc) au nom de l'utopie libertaire et de la révolution culturelle instantanée, ils ont favorisé la montée du " je m'en-foutisme " galopant en milieu étudiant plutôt que le développement de la conscience poli-tique et la radicalisation de l'engagement poli-tico-social ».

Quelques mois plus tard, c'est Vallières lui-même qui « sabordera » le mouvement de libé-ration nationale « au nom de l'utopie libertaire et de la révolution culturelle instantanée ».

Vallières avait tout de même bien perçu les transformations en cours. Dans *Les Héritiers de Papineau*, il écrit que, peu avant Octobre 1970, « je m'intéressai à deux phénomènes qui me frappaient alors beaucoup : 1) la profonde mutation des valeurs et des styles de vie en train de s'effectuer dans la société québécoise; 2) l'embourgeoisement rapide des " parvenus " de la Révolution tranquille (dont une majorité d'ex-socialistes et d'indépendantistes ».

Vallières savait pertinemment que ces deux phénomènes n'étaient pas particuliers à la société québécoise. Ils venaient directement du sud de la frontière et constituaient les réponses de la classe dirigeante américaine au puissant vent de contestation émanant du mouvement des Droits civiques des Noirs amé-ricains et du mouvement d'opposition à la guerre du Viêt-nam et dont la jonction risquait de créer une situation révolutionnaire.

Dans son *Histoire populaire des États-Unis*, Howard Zinn écrit qu'un rapport confidentiel du FBI adressé au président Nixon en 1970 révélait que, selon un sondage, « près de 25 %

de la population noire a un profond respect pour l'action des Black Panthers, et cela est particulièrement vrai pour 43 % des Noirs de moins de vingt ans ». Une situation qui ne manquait évidemment pas d'inquiéter les autorités américaines et appelait une réplique immédiate. Celle-ci emprunta une forme éprouvée : le bâton et la carotte.

Ce fut d'abord la répression. Des dirigeants du Black Panthers Party furent froidement assassinés dans le cadre du COINTELPRO, le programme du FBI. Cela, nous l'avons vu précédemment, alimenta la réflexion de Vallières. Mais plus significatif encore fut l'assassinat en 1968 de Martin Luther King, au moment précis où celui-ci, radicalisant son discours, s'emportait contre la guerre du Viêt-nam et la discrimination basée sur les classes sociales. Dès lors, il était devenu une cible privilégiée du FBI. King planifiait une nouvelle grande manifestation à Washington, sous la forme d'un « campement des pauvres » mais, cette fois-ci, sans le consentement paternaliste du président comme cela avait été le cas lors de son célèbre discours *I have a dream* de 1963.

Avec le bâton vint aussi la carotte. Dans le cadre du programme de la *Great Society* de L.B. Johnson, on tenta de faire avec les Noirs ce qu'on avait fait de tout temps avec les Blancs : intégrer un petit nombre d'entre eux dans le système en lui offrant des avantages économiques. Plus de Noirs eurent accès aux collèges et aux universités et on assista au développement d'une petite bourgeoisie noire.

Howard Zinn révèle aussi dans son livre que la Chase Manhattan Bank et la famille Rockefeller qui la contrôlait s'attachèrent plus particulièrement au développement du « capitalisme noir ». Il rapporte les paroles de David Rockefeller qui tentait de persuader ses collègues capitalistes qu'il était nécessaire « de créer un environnement dans lequel ces entreprises pourraient continuer à faire des profits pour les quatre, cinq, voire dix années à venir ».

Aujourd'hui, bien qu'on note une plus grande stratification de la société noire, l'inégalité raciale demeure béante. Dans un livre récemment paru, *The Anatomy of Racial Inequality*, l'auteur Glenn Loury démontre l'ampleur de la discrimination à l'égard des Noirs avec des dizaines de pages de statistiques sur les salaires, les taux de chômage, les revenus, la richesse, la santé, l'emprisonnement. Par exemple, l'espérance de vie d'un homme blanc né en 1998 est de 74,5 ans contre 67,6 pour un homme noir. Il est de 80 ans pour une femme blanche, comparativement à 74,8 ans pour une femme noire. Le revenu médian des hommes blancs était en 1999 de 40 100 dollars contre 30 900 dollars pour les hommes noirs.

Les choses se passèrent sensiblement de la même façon au Québec. Les felquistes, comme les Black Panthers, bénéficiaient d'un soutien populaire important comme les gouvernements furent surpris de le constater après la lecture du Manifeste du FLQ en octobre 1970. Le gouvernement fédéral réagira avec la Loi des mesures de guerre et cherchera à briser le mouvement de libération nationale. Cela se poursuivit par la suite avec les manœuvres d'infiltration et de diversion dans les mouvements de gauche et dans le Parti québécois. Mais il y eut également la carotte. Le gouvernement Trudeau parlait de « Société juste » et n'hésitait pas à s'endetter massivement pour favoriser par différentes mesures le développement de la classe moyenne à laquelle fait justement allusion Vallières quand il parle de « l'embourgeoisement des parvenus de la Révolution tranquille ».

Progressivement, la société québécoise se stratifia elle aussi. Elle n'était plus la masse uniforme de la fin des années 1950 où 95 % de la population gagnait à peu près le même salaire. Une société où même les postes de contremaîtres étaient réservés à des anglophones. D'ailleurs, la progression des francophones dans l'échelle sociale fut facilitée par le départ des anglophones à la suite de l'arrivée au pouvoir du Parti québécois en 1976 et l'adoption de la Loi 101.

La classe dirigeante anglo-saxonne emprunta à Rockefeller son idée d'un « capitalisme noir » pour les Nègres blancs. Ce fut la glorification du célèbre Québec Inc. dont on oublie généralement de mentionner que l'expression vient d'un livre de Matthew Fraser publié initialement en anglais à Toronto. De nombreuses concessions furent accordées à la bourgeoisie francophone, particulièrement lors du référendum de 1980.

Dans un livre paru en 1998 et intitulé *L'entreprise québécoise à la croisée des chemins*, Yves Bélanger rend compte du phénomène, sans toutefois en fournir d'explication politique. « Avant les années 1960, écrit-il, les prises de contrôle d'entreprises se résumaient presque invariablement au passage de firmes sous direction francophone à des entreprises sous contrôle anglophone ou étranger. Après 1976, le processus s'inverse : Provigo achète Loeb, Domtar passe sous la gouverne de la Caisse de dépôt, la Unity Bank est acheté par la Banque provinciale, Dale est acquise par Sodarcan et Sullivan met la main sur Dickension Mines. Dans des secteurs traditionnellement dominés par les grands intérêts anglo-canadiens, quelques partenariats avec des entreprises du Québec voient le jour, comme celui qui donne naissance à Brascades (Caisse de dépôt et Brascan). »

Bien entendu, cette bienveillance de la bourgeoisie anglo-saxonne allait prendre fin une fois le péril passé, c'est-à-dire avec l'échec du référendum de 1980. Bélanger note en 1998 que le mouvement s'est rapidement inversé et il constate déjà à cette époque « la vente de plusieurs firmes francophones à des intérêts étrangers : DMR, le Groupe Hamelin, Prévost, Canstar, F.F. Soucy, GEC Sidbec, Reno-Dépôt, le Groupe Commerce, Urgel Bourgie,

La Place Dupuis, Nova Bus, Circo, Kraft, MIL, Sodarcan ». Depuis, le mouvement s'est considérablement accéléré.

Malheureusement, et contrairement aux États-Unis à propos de la question noire, nos sociologues et nos intellectuels ne semblent nullement s'intéresser à la situation économique et sociale réelle des Québécoises et Québécois. Sous l'influence d'intellectuels soi-disant « marxistes », la question de l'oppression nationale a été complètement éradiquée du champ des sciences sociales. Aux dires de ces pseudo-chercheurs, le Québec est maintenant une société « normale » où ne subsistent que les inégalités de classe.

Parfois, la publication de certaines statistiques laisse entrevoir une autre situation. On apprend tantôt que le taux de locataires est beaucoup plus important au Québec qu'en Ontario ou dans le reste du Canada. Une autre fois, c'est la Régie régionale de la santé de Montréal qui, tout en nous informant de la grande pauvreté de Montréal par rapport aux autres grandes villes canadiennes, nous indique une différence d'espérance de vie de 13 ans entre Westmount, habité majoritairement par des anglophones, et Hochelaga-Maisonneuve, majoritairement francophone. Puis un ministre du Revenu révèle que 40 % de la population du Québec ne paie pas d'impôts sur le revenu parce que trop pauvre ! Mais nous n'avons pas de portrait d'ensemble qui nous permettrait de comparer, sous différents critères, la situation des Québécois francophones par rapport aux autres nationalités établies au Canada. Parions que, là aussi, il n'y a pas vraiment de budgets de recherche pour ce genre de travaux !

□

L'autre « phénomène » évoqué par Vallières, soit « la mutation des valeurs et des styles de vie », est un sujet tabou sur le terrain politique. C'est celui des « nouvelles valeurs » issues de Mai '68 en France et du mouvement hippie aux États-Unis, le fameux *Peace and Love* auquel Vallières et tant d'autres gens de son âge ont adhéré au début des années 1970.

Ces valeurs s'opposaient aux valeurs traditionnelles des années 1950 et se sont exprimées sous la forme d'un formidable conflit des générations avec l'arrivée en scène des baby-boomers. Mais quelle est exactement la signification politique de l'émergence de ces nouvelles valeurs taxées à l'époque de « révolutionnaires » ? Nous n'avons pas ici l'intention de faire le tour de la question, mais d'ébranler tout de même certains dogmes.

De façon générale, on a tendance à qualifier Mai '68 et le mouvement *Peace and love* d'événements progressistes. Ce point de vue est contestable. Mai '68 fut d'abord un mouvement de la jeunesse, qui s'est transformé en grève générale et crise politique majeure. Que Mai '68 ait été aussi l'occasion d'importantes conquêtes sociales en France ne fait aucun doute. Les accords de Grenelle sont là pour en témoigner.

Par contre, d'un point de vue politique et idéologique, les choses sont moins évidentes.

Au plan politique, il faut rappeler que Mai '68 s'est traduit par le départ du Général de Gaulle, le seul opposant à la politique américaine au sein des grandes puissances non communistes, et son remplacement par Georges Pompidou connu pour ses sympathies à l'égard de Washington. D'un point de vue idéologique, la principale mouvance de Mai '68 a donné naissance au mouvement maoïste français dont le rôle principal a été de s'attaquer au Parti communiste français et d'apporter un soutien à la politique pro-américaine de la Chine. Plus tard, ce sont d'ex-soixante-huitards et d'ex-maoïstes qui ont créé des publications comme le quotidien *Libération,* véritables chevaux de Troie de l'influence idéologique des États-Unis en France.

Aux États-Unis, le mouvement *Peace and Love* a pris naissance et s'est développé dans le cadre de l'opposition à la guerre. Ce mouvement, s'il avait pu établir une véritable jonction avec le mouvement noir, était riche de promesses plus significatives que le *Flower Power.* Il était porteur de la remise en question des institutions politiques et économiques états-uniennes et, partant, d'une authentique révolution sociale.

L'histoire nous apprend que les guerres entraînent l'affaiblissement des pays belligérants et peuvent créer des conditions favorables à l'éclosion des révolutions. La Commune de Paris de 1871 n'aurait pas vu le jour sans la guerre franco-allemande de 1870. La première révolution russe de 1905 a surgi lors de la guerre russo-japonaise et la Révolution bolchévique de 1917 a été enfantée par la Première guerre mondiale. Quant à la Révolution chinoise, elle tire son origine du deuxième conflit mondial. Est-ce que la guerre du Viêt-nam aurait pu conduire à une révolution aux États-Unis ? Est-ce qu'un leader comme Martin Luther King, dont l'audience dépassait la population noire pour rejoindre les Blancs avec un discours abordant de plus en plus, avant son assassinat, les thèmes de la justice sociale et de la guerre, aurait pu canaliser un tel changement social ? Difficile de spéculer, mais il est néanmoins clair que le mouvement de contestation s'orientait vers le mot d'ordre du « défaitisme révolutionnaire », c'est-à-dire la défaite du gouvernement américain dans la guerre contre le Viêt-nam dans le but de produire les conditions pour un changement de régime aux États-Unis.

Dans ce contexte, le mot d'ordre de *Peace and Love* était beaucoup plus inoffensif. Comme il était plus tolérable pour les autorités américaines de voir les jeunes fumer du pot et écouter les Beatles que de manifester en criant des slogans hostiles à la guerre. Ainsi, il n'est pas étonnant que les Beatles, dont toutes les chansons, sans exception, sur leur disque fétiche *Sargeant Pepper's,* sont des odes à la consommation de drogues, aient été décorés par la suite de l'Ordre de l'Empire britannique.

Il est toujours fascinant de constater que les mêmes personnes qui comprennent que l'opium fut introduit en Chine pour asservir la population aient vu dans la propagation des drogues aux États-Unis lors de la guerre du Viêt-nam un instrument de libération !

Dernièrement, il a été révélé que la CIA a introduit du crack dans les quartiers de Los Angeles comme moyen de contrôle des populations pauvres. Mais personne ne semble s'interroger sur les objectifs de la tolérance, voire de la complicité, des autorités dans la distribution des drogues auprès des membres de la classe moyenne blanche !

Les mêmes interrogations peuvent être posées dans le cas du Québec. Posons seulement la question : où Vallières était-il le plus dangereux pour l'ordre établi ? Au sein du PQ en train d'organiser une faction de progressistes visant à s'assurer que le Parti se développe en véritable mouvement de libération nationale ? Ou en train de « tripper » dans une commune près de Mont-Laurier en lisant *Mainmise* tout à fait « *stone* » ?

☐

Dans les ouvrages publiés au cours des années qui ont suivi *L'Urgence de choisir*, nous retrouvons un Pierre Vallières écrasé par la puissance qu'il attribue à ses adversaires politiques. Dans *L'exécution de Pierre Laporte, les dessous de l'opération* (1977), il va jusqu'à attribuer, sans avancer l'ombre d'une preuve, la mort de Pierre Laporte à une sombre machination fédérale. Que les autorités fédérales aient détourné la Crise d'octobre à leur profit, il est facile d'en convenir. Mais Vallières va plus loin. Il enlève toute initiative aux auteurs des enlèvements et en fait de simples pions entre les mains de brillants stratèges fédéraux. Face à un ennemi aussi puissant, nous sommes devant *Un Québec impossible*, qui est le titre d'un autre ouvrage publié également en 1977. Le même défaitisme se retrouve dans *Les Scorpions Associés* (1978). À la veille du référendum de 1980, le complot prendra une dimension internationale avec la publication de *La démocratie ingouvernable* (1979), dans lequel Vallières décrit les projets de domination du monde de la famille Rockefeller et de Zbigniew Brzezinski avec la création de la Commission trilatérale.

Le problème ne réside pas dans les analyses de Vallières des projets des fédéralistes canadiens ou des impérialistes américains. Elles sont le plus souvent pertinentes. Le défaut provient de sa perspective. Celle d'un homme brisé, pour qui l'ennemi est tout puissant.

Si, après la publication de *L'Urgence de choisir*, Vallières s'était attelé aux tâches qui découlaient de son analyse, c'est-à-dire à la création d'une faction indépendantiste radicale à l'intérieur du Parti québécois, sa vision des choses aurait été différente. Mais, surtout, une autre voie aurait été envisageable pour ces centaines de jeunes révoltés qui voulaient changer le Québec et changer la société.

En effet, en 1968 et 1969, semaine après semaine, nous avions manifesté dans les rues de Montréal pour la libération des prisonniers politiques en scandant « Libérez Vallières-Gagnon ». Aussi, c'est avec un très grand intérêt que nous avons lu, à la fin de 1971, *L'Urgence de choisir* et, quelques mois plus tard, *Pour le parti prolétarien* de Charles Gagnon.

Secoués par le choc des Événements d'octobre, avec une colère décuplée à l'égard du gouvernement d'Ottawa par suite de l'imposition des Mesures de guerre, interpellés par la montée fulgurante du Parti québécois, tout cela dans un contexte de grande agitation ouvrière et sociale, nous étions dans ce genre de période bénie où les gens sont à se faire une opinion, un choix politique qu'ils conserveront pendant des années et qui sera extrêmement difficile à défaire. Nous étions prêts pour le grand débat sur la voie à prendre. Nous attendions la réplique de Vallières à *Pour le Parti prolétarien*. Elle n'est jamais venue.

Chapitre 3

Charles Gagnon
et le mouvement maoïste
marxiste-léniniste

L E 29 OCTOBRE 1971, plus de 15 000 personnes participent à une marche de solidarité
en faveur des syndiqués du journal La Presse en
lock-out depuis le mois de juillet et qui défient
le règlement anti-manifestation du maire Drapeau. En tête du cortège, on retrouve les chefs
des trois grandes centrales syndicales, Louis
Laberge de la FTQ, Marcel Pepin de la CSN et
Yvon Charbonneau de la CEQ. Les manifestants empruntent la rue Saint-Denis vers le
sud. Au square Viger, l'escouade anti-émeute,
casquée et armée de matraques, bloque le passage vers l'édifice de La Presse. L'air est chargé
d'électricité. Lorsque les trois présidents fran-
chissent les barrières, les forces de l'ordre
chargent vicieusement la foule avec brutalité.
Deux cents personnes sont arrêtées, 190 sont
blessées et une manifestante, Michèle
Gauthier, succombe, asphyxiée à la suite d'une
crise d'asthme.

« Il s'agit d'un meurtre », affirme Louis
Laberge qui, un mois plus tard au congrès de la
FTQ, témoignera de la façon suivante :

« J'ai vu ce soir-là des scènes atroces. Des
femmes et des personnes âgées qui, souvent,
n'avaient rien à faire avec la manifestation, se
faire renverser sauvagement par les motos des
policiers. Des hommes battus par trois, quatre
ou cinq policiers alors qu'ils tentaient simplement de secourir des personnes tombées et
menacées d'être piétinées par la foule. Ce soir-
là, les policiers n'ont été rien d'autre que le

prolongement de leur matraque, le bras armé du pouvoir du dictateur Drapeau.

» Auparavant, le 2 novembre, le jour des obsèques de Michèle Gauthier – qui a eu droit à des funérailles syndicales émouvantes –, près de 17 000 personnes emplissent le Forum de Montréal lors d'une assemblée convoquée par Michel Chartrand, alors président du Conseil central de Montréal de la CSN. Louis Laberge y prend la parole et déclare : « En dix ans, il n'avait pas été possible de créer l'unité des travailleurs de toutes les centrales. En une soirée, Drapeau y est parvenu. Il a créé une unité que rien ne pourra plus jamais ébranler.» Il ajoute : «À la FTQ, ce soir-là, nous avons fait pas mal de chemin. Nous en avons encore beaucoup à faire, mais on ne pourra plus dire qu'on est en arrière des autres, on est en avant !» Il poursuit en lançant une petite phrase qui deviendra célèbre : « Ce n'est pas des vitres qu'il faut casser, c'est le régime que nous voulons casser… »

Un mois plus tard, à son congrès, la FTQ opère un tournant majeur. Elle adopte un manifeste, *L'État rouage de notre exploitation*, qui critique « l'État bourgeois au service du système capitaliste et impérialiste». Dans son discours intitulé *Un seul front*, Louis Laberge appelle à la mise sur pied d'«un front large et unifié de lutte à opposer aux forces de l'argent», un front qui permettrait de « casser le système actuel » et d'«instaurer chez nous un véritable pouvoir populaire», c'est-à-dire un socialisme démocratique et québécois.

Sur le plan électoral, le président de la FTQ pose le problème en ces termes :

« Nous devons porter au pouvoir des gens à qui nous pouvons nous fier parce qu'ils sont des nôtres et qu'ils sont mandatés par nous. S'il nous faut appuyer officiellement un parti à Québec (sous-entendu : le PQ), nous devrons le faire; mais cet appui devra être réel et s'enraciner profondément chez nos membres. Et si aucun parti ne satisfait à fond les aspirations de la classe ouvrière, il ne faut pas exclure la possibilité d'en bâtir un à la mesure de nos besoins. »

Autre développement majeur, le congrès vote à une très forte majorité la proposition suivante :

« La FTQ proclame son appui au principe d'un Québec détenant totalement son droit à l'autodétermination, y compris le droit de proclamer la souveraineté, sous réserve que ce processus doit s'accomplir en fonction des besoins et des aspirations des classes laborieuses. »

Louis Fournier, dans son *Histoire de la FTQ 1965-1992*, duquel provient la citation précédente, ne manque pas de rapporter le commentaire de René Lévesque dans sa chronique du *Journal de Montréal* :

« Le vote de cette résolution ouvre, pour la première fois, la porte à une action en quelque sorte officielle des syndiqués en faveur de la souveraineté du Québec. »

Avec ce développement, la FTQ rejoignait, dans le camp du radicalisme, la CSN et la CEQ qui publiaient à la même époque leurs propres manifestes, *Ne comptons que sur nos propres moyens* dans le cas de la CSN et *L'École au service de la classe dominante* dans celui de la CEQ. Si la grève de *La Presse* était un révélateur du profond virage qu'opérait le mouvement ouvrier, elle illustrait également les réalignements en cours au sein de la classe dirigeante pour faire face à la montée de la combativité ouvrière et sa jonction avec le mouvement souverainiste. Depuis 1967, *La Presse* était la propriété de Paul Desmarais. Le journal jouait un rôle si important dans la vie sociale et politique du Québec que le gouvernement libéral de Jean Lesage avait adopté en 1961 une loi pour interdire toute vente de *La Presse* à des intérêts étrangers. Lorsqu'en 1967, la Corporation de Valeurs Trans-Canada, que Desmarais avait acquise en 1965 du financier Jean-Louis Lévesque, voulut se porter acquéreur de *La Presse*, cela déclencha une enquête gouvernementale. Mais en 1967, le gouvernement de Daniel Johnson autorisa par législation la transaction.

En 1968, Paul Desmarais prenait le contrôle de Power Corporation qui avait d'importants actifs au Québec, notamment la Canadian Steamship Lines, la Dominion Glass et Consolidated-Bathurst. En moins de vingt ans, de simple propriétaire d'une compagnie d'autobus en faillite à Sudbury, le franco-ontarien Paul Desmarais était devenu le dirigeant d'une des plus importantes corporations au Canada. Ses talents d'administrateur étaient indéniables, sa facilité à communiquer dans les deux langues un atout, mais il n'aurait jamais pu atteindre les plus hauts échelons de la classe dirigeante sans que de bonnes fées veillent sur sa destinée. Au nombre de celles-ci, la plus importante est sans conteste la Banque Royale, la plus importante banque à charte du pays, qui finança toutes ses acquisitions depuis la Sudbury Bus Lines jusqu'à Power Corporation. Les visées de la Banque Royale et de Desmarais étaient loin d'être purement économiques. La campagne de Pierre Elliott Trudeau à la chefferie du Parti libéral en 1968 a été planifiée et orchestrée lors de rencontres hebdomadaires, à chaque vendredi soir, dans les bureaux de Power Corporation rue Saint-Jacques à Montréal. Le contrôle d'un journal comme *La Presse* allait s'avérer un atout important dans le développement de la trudeaumanie. De plus, on se souviendra que l'élection fédérale qui porta Trudeau au pouvoir eut lieu le 25 juin 1968, soit le lendemain de l'émeute de la Saint-Jean-Baptiste. Dans la nuit du 24 au 25 juin, les hommes de Desmarais investirent les locaux de *La Presse* pour s'assurer que la manchette ferait justice au « courage » du futur premier ministre qui avait affronté les pierres des indépendantistes !

De telles interventions et, de façon plus générale, la volonté des propriétaires de faire de *La Presse* un organe fédéraliste, ne manquaient pas de créer des conflits avec les journalistes aux convictions souverainistes et socialistes affichées. Pour Desmarais, il fallait crever l'abcès. Le conflit de 1971 lui en fournissait l'occasion.

Officiellement, le conflit concernait les 350 typographes, clicheurs, photograveurs, pressiers et expéditeurs, membres de syndicats affiliés à la FTQ, dont la sécurité d'emploi était menacée par des changements technologiques. Mais le véritable enjeu du conflit portait sur le contenu idéologique des articles publiés dans *La Presse*. Les journalistes souhaitaient pouvoir y débattre de la place du Québec dans le Canada. Certains voulaient y faire la promotion de l'indépendance. D'autres désiraient donner une orientation plus socialiste au journal.

Les dirigeants de *La Presse* décidèrent de se débarrasser de ces journalistes indépendantistes ou socialistes. La stratégie qu'ils adoptèrent était simple. Ils laissèrent traîner les négociations avec les syndicats de métiers et décrétèrent un lock-out. Ils espéraient voir les syndicats déclencher la grève et mettre en place des lignes de piquetage que les journalistes syndiqués à la CSN n'oseraient pas franchir. Les journalistes n'étant pas eux-mêmes en grève, l'administration aurait beau jeu de congédier ceux d'entre eux qui ne se présenteraient pas au travail.

La Presse embaucha des travailleurs non syndiqués, qui reçurent une formation sur le nouvel équipement automatisé et le journal continua à paraître avec un volume réduit et un tirage limité. Mais les lock-outés déjouèrent les plans des administrateurs en n'installant pas de piquets de grève, de sorte que les journalistes n'eurent pas à se compromettre. *La Presse* ferma ses portes.

Pierre Péladeau profita de l'occasion pour ébranler la domination de *La Presse* sur le marché des quotidiens montréalais. Lancé en 1965, durant un autre conflit à *La Presse,* le *Journal de Montréal* augmenta son tirage quotidien de 25 000 exemplaires. La stratégie de Desmarais se retournait contre lui. Son entreprise perd de l'argent, la confiance de ses lecteurs et, surtout, de ses annonceurs. De plus, le conflit favorise le développement d'un journal aux sympathies souverainistes – René Lévesque tenait une chronique régulière dans le *Journal de Montréal.* Enfin, l'affrontement radicalise le mouvement ouvrier et entraîne son rapprochement avec le Parti québécois et son option.

Pour mettre fin au conflit, Desmarais fait appel à un jeune avocat, spécialiste des relations patronales-syndicales, du nom de Brian Mulroney. C'était la première mais non la dernière fois que leurs chemins allaient se croiser. Mulroney achète la paix en accordant de généreux contrats de travail et la sécurité d'emploi aux quatre groupes de syndiqués de la production et de la distribution. Quant aux journalistes, c'est en 1978, à la veille du référendum, lors d'une nouvelle grève, que *La Presse* leur accordera les meilleures conditions de travail de toutes les salles de rédaction du Canada pour acheter leur collaboration.

Les événements de *La Presse* de 1971 vont révéler l'état du rapport de forces entre la gauche et la droite au sein du Parti québécois. René Lévesque appelle au boycott de *La Presse*, mais ne veut pas que son parti participe officiellement à la manifestation du 29 octobre, même s'il sait que bon nombre de ses membres en seront. Il craint la violence, qui compromettrait, à ses yeux, les succès électoraux de son parti.

À quelques heures de la manifestation de *La Presse*, relate Pierre Godin dans sa biographie de René Lévesque, celui-ci convoque un exécutif élargi de son parti pour trancher le différend. Le député Robert Burns, ancien avocat de la CSN, est le leader de l'aile gauche. Il se prononce évidemment pour la participation à la manifestation. « Le PQ doit être du bord des travailleurs et des exploités, plaide-t-il. Il ne faut pas prendre le pouvoir sous de fausses représentations. »

À 19 heures, au moment où la manifestation se met en marche, le vote est égal. Le président de l'exécutif, Pierre Marois, doit départager. Il se rallie à son chef. Ulcéré, le député Burns quitte la pièce en claquant la porte si fort que la vitre se fracasse, rapporte

Pierre Godin. Il sera le seul de l'exécutif à participer à la manifestation.

Dans les jours qui suivent, Lévesque doit faire face à une levée de boucliers des syndicalistes du parti et d'une douzaine d'associations de comtés. Dans une entrevue, Burns se demande si le PQ « n'est pas simplement une aile un peu plus avancée du Parti libéral ». Lévesque réplique en disant que Burns « est libre de partir ».

C'est dans ce contexte de radicalisation du mouvement syndical et d'affrontement entre la gauche et la droite au sein du Parti québécois que Pierre Vallières fait paraître dans *Le Devoir* au mois de décembre 1971 des extraits de *L'Urgence de choisir* dans lequel il plaide pour le ralliement de la gauche au Parti québécois. Cependant, Vallières se veut rassurant. Il écrit au chef péquiste pour lui dire : « Je tiens à vous assurer que mon intention n'est nullement d'infiltrer le PQ. » Puis, plutôt que de mettre en pratique la stratégie développée dans *L'Urgence de choisir*, Vallières laisse tomber la lutte de libération nationale, se convertit à l'idéologie hippie et s'exile à Mont-Laurier pour fonder une commune.

Un mois plus tard, en janvier 1972, Charles Gagnon réplique à Vallières dans *Le Devoir*. Quelques mois plus tard, il fait paraître *Pour le parti prolétarien*, qui sera l'acte fondateur de ce qui deviendra le mouvement maoïste marxiste-léniniste.

Charles Gagnon n'est pas le seul à dénoncer l'orientation pro-péquiste de Pierre Vallières. Le 19 décembre 1971, un communiqué est émis au nom de la cellule La Minerve du FLQ. Écrit dans le plus pur style maoïste – « le pouvoir est au bout du fusil a dit le président Mao » – le communiqué dénonce Vallières comme traître à la cause. Dans un communiqué émis le 9 janvier 1978, Francis Fox, le solliciteur général du Canada, reconnaîtra que ce communiqué de la cellule La Minerve avait été rédigé et distribué par des policiers de la GRC. Dans son témoignage devant la Commission Keable sur des opérations policières en territoire québécois, le surintendant principal Cobb de la GRC déclare que les forces policières interprétaient le geste de Vallières comme une manœuvre pour infiltrer des extrémistes au sein du Parti québécois, dans le dessein de prendre éventuellement le contrôle de ce parti. Selon M. Cobb, l'effet poursuivi par le faux communiqué était d'inciter les membres du FLQ à se joindre au groupe animé par Charles Gagnon plutôt qu'aux militants du Parti québécois. Son expérience, explique-t-il, le conduisait à estimer que le groupe de Gagnon serait plus facile à surveiller que le Parti québécois.

□

Charles Gagnon est né au Bic, près de Rimouski, dans une famille pauvre de cultivateurs et de travailleurs forestiers. Il rencontre Pierre Vallières à l'Université de Montréal en

1962. De 1962 à 1964, ils collaborent à la revue *Cité libre* jusqu'à ce que Pierre Trudeau et Gérard Pelletier les forcent à démissionner et sabordent la revue, celle-ci étant devenue à leurs yeux trop indépendantiste et trop socialiste. En 1964, Vallières et Gagnon fondent la revue *Révolution québécoise* et collaborent également à la revue *Parti pris*. Au cours des années 1964-65, ils adhèrent au FLQ. Après une série d'actions violentes, le réseau est démantelé et les deux se réfugient à New York. Rappelons qu'en 1966, Vallières et Gagnon sont arrêtés à New York après avoir proclamé publiquement leurs convictions politiques devant l'ONU. Après quatre mois de détention au Tombs, la sinistre *Manhattan House of Detention,* ils sont extradés au Québec. Gagnon doit attendre vingt-sept mois et demi en prison avant d'être finalement jugé. Après un procès de dix semaines, il y a désaccord du jury et on ordonne un nouveau procès. En 1970, on laisse tomber les charges.

Lors de la Crise d'octobre, Vallières et Gagnon sont de nouveau incarcérés. L'un et l'autre rompent avec l'idéologie de la violence felquiste. Vallières écrit *L'Urgence de choisir* et prône l'adhésion au PQ, tandis que Gagnon rédige *Pour le Parti prolétarien* qui donnera naissance au groupe En Lutte. Les deux hommes se séparent.

On se serait attendu à ce que la brochure *Pour le Parti prolétarien* soit une réplique à *L'Urgence de choisir* de Vallières. Mais ce n'est pas vraiment le cas. Gagnon ne répond pas aux thèses bien articulées de Vallières sur la nécessité pour la gauche de se joindre au Parti québécois et de faire alliance avec les autres composantes du mouvement souverainiste. Contrairement à Vallières, Gagnon nie tout potentiel révolutionnaire au Parti québécois.

La démarcation avec le nationalisme est faite rapidement dans un court chapitre au titre significatif : « Le cul-de-sac nationaliste ». Les arguments évoqués pour rejeter le nationalisme sont l'expérience de l'Allemagne nazie (sic !), les indépendances formelles des pays africains qui n'ont pas empêché le retour de l'impérialisme sous la forme du néo-colonialisme et le Québec de Maurice Duplessis. Les bourgeois nationalistes « sont les plus dangereux », écrit Gagnon. « Moins puissants, ils devront être plus répressifs. Maurice Duplessis, par exemple, grand nationaliste comme ses prédécesseurs Papineau, Mercier et combien d'autres, nous a appris des choses qu'il ne faudra jamais oublier. À Murdochville, à Asbestos, à Louiseville, à Valleyfield, et ailleurs et toujours, il défendait la " nation " contre Ottawa et contre les travailleurs, ses deux principaux ennemis, tout en s'appuyant confortablement, surtout en période électorale, sur son meilleur ami, l'impérialisme américain auquel il devait, en revanche, livrer en pâture une grande partie du Nord québécois et quelques autres " miettes " de mines et de forêts. » Et pour Charles

Gagnon, René Lévesque est pire encore que Maurice Duplessis !

L'analyse est essentiellement la même que celle mise de l'avant par Pierre Trudeau dans les pages de *Cité libre*, revue à laquelle Gagnon, redisons-le, a collaboré aux côtés de Trudeau. Gagnon est tout de même conscient des limites de son analyse. Dans l'introduction de son essai, il écrit que la résolution de la question nationale « suppose de la part du mouvement ouvrier, l'élaboration et la mise en application d'une tactique tenant compte de l'existence et de l'action des fractions nationalistes de la petite et de la moyenne bourgeoisie, qui ensemble forment le mouvement nationaliste bourgeois » et, dans une note en bas de page, il nous promet la publication prochaine d'un essai en préparation sur « les contradictions qui fondent aujourd'hui le mouvement nationaliste québécois ». Cet essai n'est jamais paru.

Curieusement, les références aux grands classiques du marxisme-léninisme, Marx, Engels, Lénine et Staline, sont quasi absentes de l'ouvrage de Gagnon. Il cite plutôt le dirigeant vietnamien Lê Duan, l'Albanais Foto Çami et Mao. Si le Viet-nam – toujours victime de l'agression états-unienne – est à l'honneur, Cuba, qui était la référence par excellence du FLQ avant la Crise d'octobre, n'a plus la cote. La mort de Guevara dans le maquis bolivien en 1967 avait disqualifié la « théorie du foco ». De plus, la collaboration entre le gouvernement cubain et le Canada, les relations personnelles amicales entre Castro et Trudeau, qui avaient permis entre autres l'exil des membres du FLQ à Cuba, avaient amené la gauche à prendre ses distances avec Cuba.

Par contre, on retrouve toujours dans *Pour le parti prolétarien* des références aux théoriciens de la « Nouvelle gauche » américaine, tel Charles Bettelheim, dont l'influence a été très importante sur Vallières et Gagnon.

Qu'il y ait si peu de références aux classiques du marxisme-léninisme et à l'expérience de l'URSS dans un ouvrage qui prône la création d'un parti prolétarien s'explique par les conceptions de Gagnon sur la Révolution d'octobre 1917 et sur le développement du mouvement ouvrier et de l'idéologie prolétarienne au Canada.

En février 1968, Charles Gagnon signait un article intitulé « Pourquoi la révolution ? » dans la revue *Parti pris* dans lequel il répudiait tous les modèles de révolution :

« La révolution que nous voulons, écrivait-il, personne ne peut dire ce qu'elle sera exactement. Rappelons cependant qu'elle n'a pas pour modèle la Révolution russe ni même la Révolution cubaine. Si on a pu croire que la Révolution russe avait été la première révolution prolétarienne, il semble de plus en plus qu'elle ait plutôt été la dernière grande révolution bourgeoise. »

Quant à l'absence d'idéologie prolétarienne ~~ Québec, Gagnon l'attribue au « développe- ~~ harmonieux, du capitalisme en

66

Amérique du Nord ». Que l'idéologie prolétarienne soit peu développée au Québec, cela tient aux conditions objectives, nous dit-il. C'est d'ailleurs le titre d'un chapitre « Les conditions objectives de l'idéologie prolétarienne ». La domination de l'Église, le maccarthysme, les campagnes anti-communistes, les positions erronées du Parti communiste canadien sur la question nationale québécoise – en somme les conditions subjectives – ne sont pas, selon Gagnon, les principaux facteurs de la faible propagation de l'idéologie communiste au Québec. La cause en est plutôt le « développement jusqu'ici harmonieux du capitalisme ».

Au début des années 1970, les choses sont cependant en train de changer. Le développement du capitalisme devient subitement moins « harmonieux ». Le mouvement ouvrier québécois est en effet en pleine ébullition. Après le conflit de *La Presse,* c'est la lutte du Front commun de 1972. Le Front commun est un cartel qui regroupe 210 000 travailleurs et travailleuses : les fonctionnaires, le personnel des grands réseaux de la santé, des services sociaux et de l'éducation, ainsi que les salariés des sociétés d'État comme Hydro-Québec. La moitié des syndiqués est de la CSN. Ce cartel va déclencher la plus importante grève survenue jusque-là dans l'histoire du mouvement ouvrier au Canada. Onze jours de grève illégale. Pour avoir défié la loi, les présidents Laberge, Pepin et Charbonneau seront emprisonnés, ce qui déclenchera une flambée de grèves illégales de solidarité en mai 1972. Pas moins de 300 000 travailleurs et travailleuses se mettent en grève partout à travers le Québec. La grève durera plus d'une semaine.

Le mouvement ouvrier fait irruption sur la scène politique comme une formidable force, mais sans direction politique. Encore une fois, René Lévesque s'opposera à son caucus, inspiré cette fois par Camille Laurin, qui veut appuyer la grève générale du Front commun malgré son caractère illégal. « Peu importe notre sympathie agissante envers les travailleurs, déclare-t-il, nous ne sommes pas l'outil des syndicats. Si nous étions au pouvoir, nous n'admettrions pas que les syndicats profitent des négociations pour casser le régime. »

Sa déclaration alimente le schisme qui déchire la CSN. Trois membres de l'exécutif, Dalpé, Dion et Daigle (les trois D), quittent la CSN avec 25 000 à 30 000 membres pour fonder la Centrale des syndicats démocratiques (CSD). Les trois D s'étaient opposés à la diffusion des manifestes *Il n'y a plus d'avenir dans le système économique actuel* et *Ne comptons que sur nos propres moyens*, et s'étaient prononcés en faveur du respect de la loi spéciale de Bourassa qui ordonnait le retour au travail des employés du Front commun. Au même moment, les 30 000 fonctionnaires provinciaux quittent également la CSN par un vote serré de 51 % à 49 % pour fonder un syndicat indépendant, le Syndicat de la fonction publique du

Québec (SFPQ). Ils allaient être imités par les 9 000 membres des syndicats de l'Alcan. En dépit de ce schisme, la CSN poursuit sa radicalisation. Au mois d'avril 1972, le Conseil central de Montréal, alors dirigé par Michel Chartrand, prend ouvertement position pour l'indépendance du Québec faite en fonction des travailleurs et pour le socialisme. Au mois de juin, le congrès expulse les trois D et adopte à la majorité des deux tiers les manifestes de la centrale, vote à majorité le rapport moral du président et la recommandation de s'engager plus avant dans l'action politique. Conséquent avec lui-même, le congrès vote un budget de guerre en adoptant un amendement de Michel Chartrand qui propose de rogner 174 200 dollars sur les 500 000 dollars alloués à l'organisation pour le destiner à l'action politique.

Il n'est pas inutile de citer quelques-unes des principales recommandations adoptées par le congrès :

1. Que la CSN se prononce dans le sens d'un rejet du capitalisme.

2. Que la CSN se prononce en faveur du socialisme, en tant que système réalisant la démocratie économique, politique, industrielle, culturelle et sociale, dans l'intérêt des travailleurs.

3. Que la question de l'indépendance soit traitée comme un des éléments de l'étude sur le socialisme et ne fasse pas l'objet d'un débat isolé du contexte général.

Soulignons quelques chiffres révélateurs de l'ampleur du travail d'éducation effectué. Le document *Il n'y a plus d'avenir dans le système économique actuel* a été distribué à 32 150 exemplaires; *Ne comptons que sur nos propres moyens* à 76 600 exemplaires. Les sessions d'étude auront permis de rejoindre près de 4 000 militantes et militants.

La critique de la domination impérialiste sur le Québec et des réformes de la Révolution tranquille va très loin. Il est évident que le manifeste du Parti québécois *Quand nous serons maîtres chez nous* ne peut constituer une réponse aux prises de position de la CSN. D'autant plus qu'il a été conçu et publié en vitesse en 1972 parce que le Parti québécois voulait se démarquer des manifestes des trois centrales syndicales.

La CSN pose alors ouvertement la question de l'alternative politique au Parti québécois. Marcel Pepin propose la création de comités populaires, devant regrouper des membres des trois centrales, pour œuvrer dans le domaine de l'information, de l'éducation, de l'action électorale et des conflits syndicaux. Plusieurs militants jugent ces perspectives insuffisantes. Pour compliquer les choses, le maraudage et les déclarations de Michel Bourdon de la CSN-Construction sur le banditisme au sein de la FTQ-Construction enveniment sérieusement les relations existant entre les deux centrales. Rappelons que Michel Bourdon était le conjoint de Louise Harel et était lui-même bien connu pour ses sympathies péquistes. Il sera d'ailleurs élu député péquiste quelques années plus tard.

Autre considération non négligeable : est-ce que la CSN a les moyens financiers de cette politique ? Car, dès janvier 1973, devant les nécessités provoquées par la montée des grèves et la baisse des rentrées par suite du schisme, le conseil confédéral doit couper de 50 % le budget dévolu à l'action politique.

Il devient vite évident que les chefs syndicaux n'ont pas de perspectives politiques à présenter, au-delà d'une rupture idéologique avec le capitalisme et l'impérialisme. Le socialisme est l'objectif, mais comment l'implanter dans une province de six millions d'habitants qui a des longues frontières ouvertes avec le Canada anglais et les États-Unis ? Quel est le rapport de forces ? Quelles sont les étapes à franchir ? Quel véhicule politique faut-il créer ? Quels devraient être les liens avec le Parti québécois ? Non seulement ces questions demeurent sans réponse, mais elles sont à peine effleurées ! De plus, les sympathies fédéralistes des trois chefs syndicaux pèsent dans la balance.

Rapidement, la FTQ se collera au Parti québécois et se mettra à la remorque des stratégies de René Lévesque et de Claude Morin. La CSN et la CEQ poursuivront une politique d'affrontement avec le gouvernement – même après l'élection du Parti québécois en 1976 – sans trop s'enfarger dans des considérations politiques. Si on voulait caractériser leur orientation, il faudrait alors parler d'anarcho-syndicalisme.

C'est dans ce contexte où de plus en plus de militantes et de militants posent la question de l'organisation politique des travailleurs que paraît *Pour le Parti prolétarien*. Il suscite l'intérêt, bien entendu, des militants syndicaux qui ne croient pas que le Parti québécois soit le véhicule approprié, mais également des animateurs sociaux issus du mouvement des comités de citoyens actifs dans plusieurs quartiers de Montréal depuis le début des années 1960 sur des questions comme le logement, les espaces verts, les feux de circulation, etc. Le rappel de leur parcours politique aide à comprendre la suite des événements. Le 19 mai 1968, plus de 175 d'entre eux avaient participé à une rencontre qualifiée d'historique. Dans le communiqué émis au terme de cette rencontre, on pouvait lire :

« Nous avons tous les mêmes grands problèmes. Nous devons sortir de l'isolement, de l'esprit de clocher. Les gouvernements doivent devenir nos gouvernements. Nous n'avons plus le choix, il faut passer à l'action politique. »

Au congrès de 1969 du Conseil central, Michel Chartrand avait invité tous les groupes contestataires, protestataires et révolutionnaires à coopérer avec le Conseil central. Au cours de colloques régionaux inter-syndicaux tenus au printemps de 1970, sera mise de l'avant une perspective d'apprentissage lié aux lieux de pouvoirs proches. Des comités d'action politique sont par la suite créés dans les quartiers. À Montréal, on décide de faire la lutte au maire Drapeau aux élections municipales de l'automne 1970. Militants syndicaux et animateurs sociaux se regroupent au sein du Front d'action politique, le FRAP, présidé par Paul Cliche. Le scrutin se déroule en pleine Crise d'octobre sous la surveillance de la police et de l'armée. Quatre jours avant l'élection, le ministre Jean Marchand déclare que le FRAP sert de « couverture » (front) au FLQ. Drapeau en remet en disant que, sans les Mesures de guerre, « la révolution aurait éclaté et le sang aurait coulé dans les rues de Montréal ». Quatre candidats du FRAP sont arrêtés, plusieurs militants harcelés, des listes de membres saisies. La veille du scrutin, un faux communiqué attribué au FLQ proclame : « Nos leaders Pierre Vallières, Charles Gagnon, Michel Chartrand et Robert Lemieux doivent être libérés avant midi le 25 octobre, à défaut de quoi ça sautera et notre cédule d'exécution se poursuivra. » Les dés étaient pipés. Drapeau est réélu avec une majorité écrasante, mais le taux de participation est d'à peine 50 %.

C'est la débandade, le FRAP entre en crise. Les éléments les plus modérés, qui se retrouvaient surtout au sein des directions syndicales, se rallieront progressivement au Parti québécois et formeront plus tard, sur la scène municipale, le Rassemblement des citoyens de Montréal (RCM) qui constituera l'opposition à l'Hôtel-de-ville en 1974 avant de prendre plus tard le pouvoir. À Québec, le Rassemblement populaire empruntera une démarche similaire. Cependant, les éléments radicaux, regroupés dans les CAP, tirent d'autres leçons de l'expérience du FRAP. Ils remettent en cause la voie électorale et se posent la question du « Que faire ? ». Certains envisagent comme solution « l'implantation » dans les usines, sur le modèle de ce qui avait été fait dans les quartiers au cours des années 1960. D'autres misent sur une organisation politique des travailleurs issue du mouvement syndical.

Charles Gagnon a beau jeu d'affirmer que ce sont là deux voies sans issue. Il est facile de montrer le cul-de-sac politique dans lequel est placé le mouvement syndical, qui trouve le Parti québécois trop à droite, mais est incapable de mettre sur pied un parti politique. À l'ouvriérisme primaire des partisans de « l'implantation », Gagnon oppose des perspectives plus vastes : la création d'une organisation révolutionnaire, le Parti prolétarien. Il propose à la vingtaine d'organisations qui se proclament d'avant-garde de s'unir dans une « pratique commune » pour conquérir la direction du mouvement ouvrier.

À cause d'un certain nombre de références dans *Pour le parti prolétarien* à l'ouvrage classique de Lénine, le *Que Faire ?*, on pourrait croire que Gagnon invite ces avant-garde à se consacrer au développement de la théorie révolutionnaire, à la définition des objectifs et de la stratégie révolutionnaires qui faisaient si cruellement défaut à la gauche. Il n'en est rien. Au contraire, il décrie le travail intellectuel, s'en prend à plusieurs reprises à ceux qui pensent que « la ligne prolétarienne est une sorte de théorie qui s'échafaude dans la tête de quelques beaux esprits pour être ensuite répandue dans la classe ouvrière ».

Gagnon leur propose de passer immédiatement à l'action pour mener la lutte idéologique qu'il définit comme « la propagation de l'idéologie révolutionnaire au sein des masses ». Quel doit être le contenu de cette idéologie révolutionnaire ? Cela n'est pas précisé. Mais, chose certaine, elle doit se démarquer du nationalisme du Parti québécois et de la social-démocratie des bureaucrates syndicaux. Conformément à la conception maoïste alors à la mode, « la pratique est déterminante ». Évidemment, la « pratique » peut conduire à de multiples interprétations au gré des conjonctures, selon les besoins du moment.

Plus fondamentalement, la théorie sous-jacente à l'appel de Gagnon est qu'il faut « stimuler » le mouvement ouvrier, le développement de sa combativité devant produire la théorie révolutionnaire. Avec la fin du « développement harmonieux du capitalisme », le mouvement ouvrier suscitera par ses luttes, veut laisser croire Gagnon, le développement de l'idéologie prolétarienne.

Alors que dans le *Que faire ?*, Lénine affirmait que la théorie révolutionnaire était au départ l'œuvre d'intellectuels (de « beaux

75

esprits ») et que la conscience politique ne pouvait être apportée aux ouvriers que de l'extérieur de la lutte économique, Gagnon prétend, au contraire, qu'elle surgit du mouvement ouvrier lui-même. La formule célèbre de Lénine : « Sans théorie révolutionnaire, pas de mouvement révolutionnaire » devient sous la plume de Gagnon : « Pas de mouvement révolutionnaire, sans conscience révolutionnaire ». La distinction est fondamentale. La tâche à laquelle Gagnon convie les militants n'est pas d'élaborer une théorie révolutionnaire pour le Québec, mais de développer la « conscience révolutionnaire » du mouvement ouvrier, c'est-à-dire sa combativité dans la lutte économique, en postulant que le mouvement de lutte qui s'ensuivra produira spontanément la théorie qui lui indiquera la voie à suivre.

En fait, l'idée centrale mise de l'avant par Gagnon n'est pas empruntée à Lénine, mais aux théories felquistes de la fin des années 1960. Pierre Vallières écrivait dans *Pour une stratégie révolutionnaire* publiée en 1969 que « les attentats à la bombe ne font pas partie d'une action militaire contre le système mais d'une action politique. Elle ont pour but de radicaliser l'agitation sociale et favoriser le développement d'une conscience de classe agissante chez les exploités ».

Charles Gagnon reprend, dans *Pour le parti prolétarien,* les mêmes étapes que celles définies par Vallières (d'abord, créer un pôle idéologique), les mêmes objectifs (radicalisation des luttes) et les mêmes formes d'organisation (créer des noyaux actifs à la base). Trois ans après le texte de Vallières, dans un contexte où le marxisme est devenu populaire dans le mouvement syndical, Gagnon propose une nouvelle version de « l'agitation politique de masse ». Les attentats à la bombe sont mis au rancart et remplacés par le projet de publication d'un journal. Ce sera le journal *En Lutte* dont le premier numéro paraît à l'automne 1973.

□

Curieusement, dans le premier numéro, l'équipe d'*En Lutte* prévient qu'elle « n'est pas le parti, ni son embryon, ni le groupe de ceux qui veulent créer le parti ». Son unique but est de faire de l'agitation politique de masse pour radicaliser le mouvement ouvrier d'où, espère-t-on, émergera le parti. Cela n'empêche évidemment pas l'équipe du journal de tâter le terrain auprès des autres groupes se définissant comme révolutionnaires par l'invitation à des « pratiques communes » dans le cadre de groupes que l'équipe du journal met sur pied, notamment « les groupes amis du journal », « l'atelier ouvrier », le « comité ad hoc » et le « projet A ».

Le regroupement le plus important est sans conteste le Comité de solidarité aux luttes ouvrières (CSLO) mis sur pied en 1973 pour soutenir la lutte des travailleurs de la Firestone à Joliette et d'autres grèves par la suite. Toute la mouvance marxiste révolutionnaire du grand Montréal s'y retrouve. En Lutte le conçoit même à un certain moment comme plus important que son journal pour rallier les ouvriers à son projet de parti. Cependant, il faut vite déchanter. Les ouvriers boudent ce comité où se retrouvent surtout, en plus des groupes révolutionnaires, des représentants de la nouvelle génération qui milite dans les groupes populaires de Montréal. Depuis le début des années 1970, on avait en effet vu éclore une pléthore de groupes communautaires : des associations de défense des droits des assistés sociaux (ADDS), des garderies populaires, des comités logement, des groupes de défense des consommateurs et plusieurs autres. La grande majorité de ces groupes avaient été mis sur pied dans le cadre des programmes Perspectives-Jeunesse et Projet d'initiatives locales (P.I.L.) du gouvernement fédéral de Pierre Elliott Trudeau. Le but visé par le gouvernement était de contrer l'agitation politique découlant du chômage des jeunes. En 1970, le taux de chômage s'élevait à 21 % chez les jeunes de 20 à 24 ans.

Que la situation explosive au Québec ait été la motivation première du gouvernement Trudeau se reflète dans le fait que 39 % du budget du programme Perspectives-Jeunesse a été dépensé au Québec en 1971, comparativement à 21 % pour l'Ontario dont la population est supérieure. Il en est de même pour les Projets d'initiatives locales.

Ces programmes furent un véritable terreau pour l'éclosion d'une nouvelle génération de

militantes et militants politiques, qui prétendaient détourner les fonds du gouvernement
pour lutter contre le gouvernement, utiliser
des programmes dont un des objectifs avoués
était de « promouvoir l'unité canadienne » pour
lutter contre Ottawa. La suite des événements
allait démontrer que le gouvernement Trudeau
était plus machiavélique qu'eux !

Ces militants formèrent la base sociale du
mouvement marxiste-léniniste. Leur présence
importante dans le CSLO – et l'absence d'ouvriers – amène Charles Gagnon et son équipe
d'En Lutte à considérer la possibilité de passer
à une autre étape. Le CSLO est dissous et En
Lutte publie, coup sur coup *Créons l'organisation marxiste-léniniste de lutte pour le parti* en
décembre 1974 et *Contre l'économisme* en septembre 1975. À la suite de l'appel de *Créons..*,
cinq groupes marxistes-léninistes de Montréal
et deux de Québec rallièrent ses rangs.

En Lutte considère alors plus sérieusement
l'expérience de la création du Parti bolchévik
par Lénine et publie des textes sur les tâches
des marxistes-léninistes qui insistent sur l'importance de l'élaboration d'une théorie et
d'une stratégie révolutionnaires et le ralliement de l'avant-garde ouvrière. La direction du
mouvement ouvrier était reportée à une étape
subséquente et, par le fait même, l'« agitation
politique de masse ».

À peine deux mois après la publication de
Contre l'économisme, trois groupes visés par la
critique élaborée dans cette brochure créent,

en novembre 1975, la Ligue (marxiste-léniniste) du Canada, qui deviendra à l'automne 1979 le Parti communiste ouvrier (PCO). Ces groupes sont le MREQ (Mouvement révolutionnaire des étudiants du Québec), un groupe d'étudiants basé principalement à l'Université McGill, la COR (Cellule ouvrière révolutionnaire) et la CMO (Cellule militante ouvrière), deux petits groupes implantés dans le sud-ouest de Montréal. Plutôt que de répondre favorablement à l'appel à l'unité de Charles Gagnon, ils avaient décidé de fonder leur propre organisation !

La Ligue entreprend rapidement une campagne de recrutement très agressive auprès des militants implantés dans les usines, les hôpitaux, les quartiers, le milieu étudiant. Les étudiants sont d'ailleurs prestement invités à « s'implanter » dans les usines et à se transformer en dirigeants ouvriers. L'expérience du CSLO avait démontré que les ouvriers n'étaient pas intéressés à rallier les rangs de nos avant-garde révolutionnaires; qu'à cela ne tienne, la Ligue allait fournir à la classe ouvrière des dirigeants de son crû. Le succès de la Ligue est foudroyant. Nombre de militantes et de militants, désemparés par l'absence d'alternative politique, fatigués des tergiversations d'En Lutte, achètent sans trop poser de questions le discours radical, ferme et assuré de la Ligue. « Enfin, semblent-ils se dire, quelqu'un nous offre une direction claire », sans trop toutefois se préoccuper du sens de cette direction.

La Ligue entreprend aussi la conquête des organisations populaires pour se les soumettre. Les groupes sont sommés de se transformer en « ADDS de lutte de classe », en « garderies populaires de lutte de classe », en « comptoirs alimentaires de lutte de classe ». Tous sont contraints de reconnaître la « ligne juste » de la Ligue et le « rôle dirigeant de la classe ouvrière » qu'elle dit représenter.

Concrètement, cela signifiait pour ces organisations de se transformer en groupes de soutien aux luttes ouvrières sur lesquelles la Ligue voulait établir son hégémonie. Les groupes d'assistés sociaux sont invités à mettre de côté leurs revendications spécifiques pour faire du piquetage sur les lieux des conflits ouvriers et ramasser des fonds pour les ouvriers en grève. Toujours au nom du « rôle dirigeant de la classe ouvrière », la Ligue appuie les mesures de retour au travail forcé des gouvernements à l'égard des assistés sociaux parce que cela leur permettra de « rejoindre les rangs, dit-elle, des ouvriers ». Comme si les sans-emploi ne faisaient pas partie de la classe ouvrière !

Ceux qui ne se plient pas aux diktats de la Ligue sont harcelés. Progressivement, les garderies qui tombent sous sa coupe deviennent des garderies réservées aux membres de la Ligue. Plusieurs des nombreux groupes du réseau populaire qui constituait une des principales bases de la lutte du peuple québécois pour son émancipation sont détruits sous les assauts répétés de la Ligue.

En Lutte est pris de court par la création de la Ligue et sa campagne « shock and awe » de recrutement de militantes et militants. Pendant de longs mois, En Lutte ne réagira pas. Puis, plutôt que de servir à la Ligue la critique virulente qu'elle mérite et se porter à la défense des organisations populaires, En Lutte, à la stupéfaction générale, légitime l'action de la Ligue et en appelle à l'union, voire à la fusion des deux organisations. Le problème principal de la Ligue, selon En Lutte, c'était son « sectarisme », son refus de l'unité !

Devant les succès de la campagne d'adhésion à la Ligue, En Lutte se mord les doigts d'avoir négligé le recrutement et attribue sa léthargie au « dogmatisme » de ceux qui voulaient d'abord développer la stratégie révolutionnaire. « Cette erreur qui consistait entre autres à envisager le développement de notre ligne politique en serre chaude a ralenti notre intervention dans les masses et affaibli notre action pour guider leurs luttes. Cette erreur a laissé le terrain libre à la Ligue au sein des masses », écrira plus tard En Lutte. La petite fenêtre qui s'était ouverte sur une appréciation correcte des priorités politiques, sur la nécessité de définir une orientation et une stratégie avant de passer à l'action, venait de se refermer définitivement.

La campagne agressive de recrutement de la Ligue bouscule les retardataires et il devient évident que quiconque veut demeurer actif dans la gauche est obligé de se rallier à u

82

groupe existant sous peine d'être dénoncé comme « réformiste irrécupérable ». Ceux qui n'aiment pas les méthodes de la Ligue se tournent tout naturellement vers l'autre grand groupe qu'est En Lutte, qui mène d'ailleurs la lutte contre le « sectarisme », c'est-à-dire contre le refus de rallier un groupe.

Le mouvement de ralliement gonfle de façon spectaculaire le membership des deux organisations avant même que celles-ci aient défini la direction politique qu'elles entendent emprunter. Mais, de façon quasi providentielle, le gouvernement Trudeau vient à la rescousse d'En Lutte. En adoptant, le 14 octobre 1974, la loi C-73 de contrôle des salaires pour contrer l'inflation, Ottawa fournit à En Lutte l'occasion de se battre pour une cause. Les mesures Trudeau provoquent en effet une levée de boucliers sans précédent dans le mouvement syndical canadien. Au moment où la classe ouvrière se mettait en frais de récupérer son pouvoir d'achat grugé par des années d'inflation astronomique, le gouvernement fédéral, appuyé par les provinces, adopte une loi qui gelait, à toutes fins pratiques, les salaires. Six semaines après l'adoption de la loi, une manifestation rassemble 40 000 travailleurs et travailleuses au Québec. Mais le point culminant sera la grève générale de 24 heures, le 14 octobre 1976, initiée par le Congrès du travail du Canada, à laquelle participèrent 250 000 travailleurs québécois et, en tout, 1 200 000 personnes à travers le Canada.

Pendant trois ans, En Lutte consacrera l'essentiel de ses énergies à courir derrière la classe ouvrière pour en contempler le postérieur. La lutte contre les mesures Trudeau est élevée au niveau d'une « véritable lutte de classe ». Toutes les autres luttes lui sont subordonnées. Les immigrants menacés d'expulsion arbitraire doivent en priorité, selon En Lutte, se mobiliser contre les mesures de gel des salaires. Il en est de même pour tous les groupes de la société, des femmes aux assistés sociaux, des étudiants aux agriculteurs, des non-syndiqués aux accidentés du travail, des groupes anti-impérialistes aux garderies. La source de l'exploitation ne réside plus dans le capitalisme, mais dans la loi C-73. En Lutte écrit même à l'époque que la « révolution socialiste est commencée » !

En Lutte profite de la lutte contre les mesures Trudeau pour se donner des perspectives canadiennes en ralliant de petits groupes marxistes-léninistes de Halifax à Vancouver uniquement sur la base qu'ils reconnaissent que « la loi C-73 est l'attaque centrale de la bourgeoisie ».

Pour stimuler la combativité ouvrière et proposer aux ouvriers des leaders plus combatifs que ses dirigeants syndicaux, En Lutte met sur pied des « comités de lutte », qui sont une réminiscence du célèbre Comité de solidarité aux luttes ouvrières (CSLO). Le résultat est similaire à l'expérience de 1973. Quand Trudeau retire les contrôles sur les salaires, mettant fin par la même occasion à la « véritable lutte de classe » et à la « révolution socialiste », En Lutte doit admettre que ses comités de lutte n'avaient regroupé que ses propres sympathisants.

Au cours de toute cette période, En Lutte procédera à des transformations importantes de sa ligne politique pour l'« adapter » à la lutte contre les mesures Trudeau, mais aussi à sa recherche d'unité avec la Ligue communiste (marxiste-léniniste) du Canada, comme nous le verrons maintenant.

□

Quand les groupes qui forment la Ligue mettent fin à leurs « pratiques communes » avec En Lutte au sein du Comité de solidarité aux luttes ouvrières (CSLO) et entreprennent de développer leur propre organisation, ils énoncent un principe dont ils savaient pertinemment qu'il acculerait Charles Gagnon à la défensive. Ce principe, c'est que « la ligne politique est déterminante en tout ».

Dorénavant, Gagnon devrait débattre au grand jour plutôt que dans des réunions secrètes. De plus, le fait que la Ligue se proclame ouvertement maoïste – les photos de Marx, Engels, Lénine et Mao figurent en première page du journal *La Forge* – va également obliger Charles Gagnon à une plus grande utilisation de la terminologie marxiste.

Mais le débat le plus déterminant à l'époque est celui qui porte sur la « contradiction principale » au Canada. L'expression est de Mao

Tsé-toung et a pour objectif de définir la voie de la révolution en décrivant la contradiction dont la résolution permettra le triomphe de la révolution. Définir la « contradiction principale », c'est déterminer qui sont ses ennemis, qui sont ses alliés, établir le cœur de sa stratégie, l'axe autour duquel va tourner les activités de l'organisation. Dans *Pour le parti prolétarien*, Charles Gagnon identifiait de façon confuse la question nationale québécoise comme étant la contradiction principale. Cela signifiait que l'atteinte de l'indépendance nationale pour le Québec figurait au premier plan. Mais, en 1974, dans *Créons l'organisation de lutte pour le parti*, la question nationale est reléguée au rang de contradiction secondaire. La contradiction principale est désormais définie comme opposant, d'une part, le prolétariat canadien et, d'autre part, la bourgeoisie canadienne et l'impérialisme américain.

Dans le *Document d'entente politique* entre le MREQ, la COR et la CMO qui a constitué l'acte de naissance de la Ligue, la contradiction principale est définie plutôt comme opposant le prolétariat canadien à la bourgeoisie canadienne. L'impérialisme américain passe au second plan et il est désormais opposé au « peuple canadien » dans ce qui constitue « la contradiction secondaire la plus importante ».

Pour justifier l'élimination de l'impérialisme américain comme un des deux principaux ennemis de la révolution au Canada, la Ligue invoque des « principes » maoïstes de son crû. Selon la Ligue, « non seulement est-il faux de dire que l'économie canadienne est contrôlée par l'impérialisme américain, mais il est anti-marxiste de séparer ainsi l'économie et la politique ». Qu'est-ce que cela pouvait bien vouloir dire ? Nul ne le sait. Les théoriciens de la Ligue nient avec virulence que le contrôle sur l'État canadien puisse être partagé entre la bourgeoisie canadienne et la bourgeoisie américaine. Selon eux, cela aurait « contredit carrément les enseignements du marxisme-léninisme sur la nature et le rôle de l'État qui est l'instrument d'UNE classe. Le contrôle d'un État, affirme la Ligue, ne peut être partagé par deux bourgeoisies. Pour la Ligue, « deux bourgeoisies impérialistes entretiennent toujours des rapports de rivalité essentiellement – peu importe la forme de ces rapports. Les rapports entre l'impérialisme canadien et l'impérialisme américain n'échappent pas à cette règle », déclare-t-elle.

Sur la base de ces postulats à l'effet que l'économie canadienne ne pouvait pas être contrôlée, même en partie, par les États-Unis, que seule la bourgeoisie canadienne pouvait contrôler l'État canadien et que l'essence des rapports entre le Canada et les États-Unis était la rivalité, la direction de la Ligue allait entraîner ses militants et l'ensemble du mouvement marxiste-léniniste dans des alliances que bien peu d'entre eux auraient imaginées au départ. Un mouvement qui était né et s'était développé au cœur de la lutte pour l'indépendance du

Québec et contre l'impérialisme américain, à la faveur de la lutte contre la guerre au Vietnam, allait basculer cul par-dessus tête pour se retrouver en bout de course à appuyer les politiques impérialistes de l'Oncle Sam et à combattre l'indépendance du Québec. Comment s'est opéré ce renversement ? Par l'utilisation et la propagation de principes, de concepts et d'analyses totalement erronés qu'un cours de Politique 101 aurait pourtant suffi à démasquer. Examinons d'un peu plus près les thèses de la Ligue.

De prime abord, les « principes » et la « dialectique » marxistes de la Ligue ne résistent pas à l'analyse. La question des relations entre l'économie et le politique, le capitalisme et la démocratie, a été abondamment étudiée et commentée par les auteurs marxistes et progressistes. La question à laquelle il faut répondre est simple : comment expliquer que la minorité de possédants puisse imposer sa volonté alors que nos gouvernements sont élus au scrutin universel où chaque vote est d'égale valeur ? Comment s'exerce la toute puissance du capital ? La réponse défraie quotidiennement la manchette des journaux. C'est d'abord par la corruption des fonctionnaires et des hommes politiques que s'impose le pouvoir de l'argent. Le capital alimente la caisse des partis politiques. Il soudoie les fonctionnaires avec ses activités de lobbying. Dans son film *L'Erreur boréale*, Richard Desjardins a bien montré comment les fonctionnaires du ministère des Ressources naturelles se comportaient comme les employés des compagnies forestières. Les exemples peuvent être multipliés à l'infini.

L'autre méthode de contrôle des gouvernements est la Bourse et les cotes de crédit. La menace des agences de cotation de baisser la cote de crédit des gouvernements du Canada et du Québec a forcé les dirigeants politiques au cours des années 1990 à adopter la politique du déficit zéro et les compressions budgétaires. Que Wall Street évoque une décote, les ministres des Finances et les premiers ministres du Québec et d'Ottawa paniquent. Des exemples similaires, il en pleuvait aussi dans les années 1970. Cela aurait dû suffire à tailler en pièces les « principes marxistes-léninistes » de la Ligue qui postulaient alors, dans sa définition de la contradiction principale, que le capital financier américain ne pouvait pas exercer un quelconque contrôle sur l'État canadien.

En fait, avec une position basée sur de tels postulats, la Ligue n'avait aucun besoin de produire d'analyse concrète. Cela aurait toutefois mal paru. « L'analyse concrète d'une situation concrète » n'est-elle pas après tout le principe de base du marxisme ? Examinons donc d'un peu plus près « l'analyse concrète » de la Ligue en appui à sa détermination de la contradiction principale.

D'entrée de jeu, la Ligue reconnaissait qu'« au plan militaire, le Canada ne possède pratiquement aucune défense autonome ». Comment pouvait-elle alors proclamer que le Canada était un pays indépendant alors que tout marxiste reconnaît que l'armée est la composante principale de l'appareil d'État ? Dans « l'analyse concrète » produite dans le *Document d'entente politique*, la Ligue a délibérément minimisé l'importance de la domination américaine pour monter en épingle l'importance de la bourgeoisie canadienne. Les auteurs nous préviennent que nous n'aurons droit qu'à « un très bref exposé de la mainmise américaine sur l'économie canadienne, car la force de la bourgeoisie canadienne est l'élément de l'économie largement négligé par les analyses économiques existantes ». Autrement dit, les analyses existantes sont unilatérales dans un sens, nous le serons dans l'autre! Belle démarche scientifique !

Bien qu'à l'époque où le *Document d'entente politique* a été publié, le tiers du capital exporté par les États-Unis à travers le monde l'avait été au Canada, les théoriciens de la Ligue affirmaient que « la bourgeoisie canadienne contrôle le développement économique du Canada ». Les données statistiques de l'époque révèlent pourtant que le contrôle américain dans le secteur manufacturier s'établissait à 56 %. Des 102 plus grandes compagnies industrielles, de ressources naturelles et de services au Canada, 61 étaient contrôlées par l'étranger dont pas moins de 48 par les États-uniens. Comment la Ligue pouvait-elle affirmer sans rire que la bourgeoisie canadienne contrôlait à elle seule l'économie du pays ? Bien que la moitié de la force de travail du prolétariat industriel canadien était achetée par des entreprises américaines, la Ligue nous disait que « tenter d'opposer l'impérialisme américain au prolétariat plutôt qu'à tout le peuple, c'est mal comprendre non seulement la nature d'une superpuissance mais aussi la dialectique marxiste ».

La Ligue avait raison d'affirmer que le Canada était un pays impérialiste de plein droit, qu'il s'y était produit au XIXᵉ siècle le même processus de concentration économique que dans les autres pays impérialistes, c'est-à-dire qu'on avait assisté au Canada à la création à cette époque de monopoles industriels et bancaires et à la fusion des deux pour produire le capital financier.

Mais une étude plus approfondie démontre que, dans bien des cas, les capitaux canadiens et américains se sont entremêlés dans ce processus de concentration. Au XIXᵉ siècle, l'impérialisme américain concentrait la production et monopolisait le capital au Canada en accord avec la bourgeoisie canadienne. Par exemple, l'Asbestos Corporation of Canada, contrôlée par les Américains, liquidait ses compétiteurs canadiens et monopolisait la production de l'amiante avec l'aide de la banque de Montréal, de la Banque de Commerce et du Trust Royal. La Standard Oil a monopolisé le pétrole canadien avec l'aide du gouvernement Laurier contre ses compétiteurs américains et avec le soutien des deux plus grandes corporations canadiennes de l'époque, le Canadian Pacific et le Grand Trunk Railways. Des entreprises comme Inco et Alcan étaient propriété commune d'intérêts canadiens et états-uniens. Ce sont là quelques exemples de collaboration entre bourgeoisies impossible selon les principes de la Ligue.

Dans son *Document d'entente politique*, la Ligue reconnaissait « la présence aux conseils d'administration des banques canadiennes de plusieurs directeurs de compagnies américaines, représentants du capital financier américain », mais plutôt que d'en tirer la conclusion appropriée, elle affirmait que cela « ne modifie en rien cette réalité que le capital industriel canadien fusionne avec le capital bancaire canadien pour former un capital financier canadien » ! Comprenne qui pourra !

Nous pouvons pousser l'analyse plus loin et démontrer, à l'aide d'un exemple concret, que des entreprises impérialistes états-uniennes étaient même entraînées à défendre le nationalisme canadien contre des compagnies rivales des États-Unis.

Au XIXᵉ siècle, la bourgeoisie non-monopoliste américaine favorisait la réciprocité avec le Canada parce qu'elle n'avait pas les moyens d'y construire des filiales. Par exemple, en 1907, l'Association nationale américaine des manufacturiers, qui représentait les intérêts non-monopolistes, réclamait au nom des industriels du Mid-west l'ouverture du marché canadien.

« Nous avons besoin de ses matières premières et nous pouvons leur envoyer les produits finis de nos manufacturiers. » Cependant, la bourgeoisie impérialiste qui avait construit des filiales au Canada était favorable à l'instauration de barrières tarifaires par le Canada pour protéger ses intérêts outre-frontière contre les entreprises états-uniennes qui voulaient y exporter leurs marchandises.

Au Canada, les fermiers producteurs de blé de l'Ouest et les éléments nationalistes du Québec, comprenant surtout des petits producteurs, étaient favorables à la réciprocité. Une politique qu'appuyait le gouvernement de Sir Wilfrid Laurier et qui causa sa défaite aux mains de Robert Borden.

Le journal *The Globe* rapporte à l'époque que les filiales américaines bien établies au Canada « avaient peur de la compétition américaine si les tarifs douaniers étaient réduits ou enlevés. Elles ont mis leur argent dans l'élection de Borden. Elles veulent que soit érigé le mur des tarifs et le plus élevé sera le mieux ».

The Globe affirme que certains bâilleurs de fonds de Borden étaient des agents de corporations états-uniennes. *The Globe* se demande si c'était « la fierté et la ferme résolution de garder le Canada libre de la domination des trusts des États-Unis qui les rendaient si enthousiastes. Les trusts internationaux qu'ils représentent ont des droits protectionnistes sévères de chaque côté de la frontière. Ils ont peur que ces droits soient en danger ».

L'historien canadien-anglais bien connu Harold Innes affirme que « le nationalisme canadien était systématiquement encouragé et exploité par le capital américain ». Un journaliste canadien écrivait : « Dans toute cette agitation pour des tarifs douaniers plus élevés, on trouvera la main américaine des industriels des États-Unis qui ont ouvert une filiale canadienne. La seule mention des États-Unis les fait accourir en larmes à Ottawa. Les Canadiens payent pour entendre les industriels américains chanter *O Canada*. »

Alors que la bourgeoisie non-monopoliste américaine réclamait l'annexion du Canada, celui-ci doit jusqu'à un certain point son existence politique indépendante à l'alliance entre la bourgeoisie canadienne et l'impérialisme américain. Une impossibilité théorique selon les principes maoïstes de la Ligue. Mais les faits sont têtus.

On se serait donc attendu à ce que Charles Gagnon et En Lutte mettent rapidement à nu la fumisterie de l'analyse de la Ligue. Aussi incroyable que cela puisse paraître aujourd'hui, il n'en fut rien. Pourtant, l'analyse critique des positions de la Ligue était disponible et avait été présentée à la direction d'En Lutte par l'Union bolchévique, un petit groupe marxiste. Les éléments critiques présentés ci-dessus sont tirés de ses publications.

Après de longs mois d'indécision, coup de théâtre : En Lutte abandonne sa position initiale et se rallie aux arguments de la Ligue.

Sans analyse véritable, le groupe En Lutte postule lui aussi que la bourgeoisie canadienne est la seule à détenir le pouvoir d'État au Canada et que « le contrôle de l'État lui donne le contrôle de l'ensemble de l'économie du pays ». La contradiction principale oppose le prolétariat canadien à la seule bourgeoise canadienne. Le rôle de l'impérialisme américain est complètement occulté. Deux raisons fondamentales expliquent ce changement de position. Premièrement, la nouvelle définition de la contradiction principale était beaucoup mieux adaptée à la lutte pour des réformes, à la lutte contre les mesures Trudeau. L'ennemi n'était plus la bourgeoisie qu'il s'agissait d'exproprier, mais l'État, plus particulièrement l'État fédéral, qui doit mettre fin au gel des salaires.

Le second motif du ralliement à la position de la Ligue est la volonté de Gagnon d'éliminer toutes les positions politiques faisant obstacle à l'unité avec la Ligue. Ce faisant, En Lutte se faisait absorber dans le mouvement maoïste international et adoptait les politiques de la « théorie des trois mondes » énoncée pour la première fois par Teng Hsiao Ping aux Nations-Unies en avril 1974.

□

Les enjeux du débat sur la « contradiction principale » ne sont compréhensibles qu'une fois replacés dans le cadre plus large de la « théorie des trois mondes », tout comme la naissance et le développement du mouvement

« marxiste-léniniste » au Québec ne s'expliquent que dans le contexte de l'éclosion du mouvement maoïste à l'échelle internationale.

Au milieu des années 1970, poussent comme des champignons partout sur la planète une multitude de groupes et de partis « marxistes-léninistes » qui se réclament de la « pensée Mao Tsé-toung » et adhèrent à la « théorie des trois mondes ». La théorie communiste classique prônait l'alliance des pays socialistes avec la classe ouvrière des pays avancés et les mouvements de libération nationale des colonies et des pays dominés, contre les bourgeoisies impérialistes et les bourgeoisies locales qui leur étaient inféodées, dans le but d'instaurer le socialisme. La « théorie des trois mondes » chamboule complètement le portrait. Elle n'aborde plus le monde en termes de classes, mais de pays. Elle prône une alliance entre les pays du tiers-monde, toutes classes confondues, avec les pays du « second monde » (France, Allemagne, Grande-Bretagne, Canada, etc.), toutes classes également confondues, contre les deux superpuissances que sont les États-Unis et l'URSS. L'objectif n'est plus l'instauration du socialisme à l'échelle du globe, mais la mise en place d'un Nouvel ordre économique mondial.

Un élément central de la théorie va révéler les visées véritables de ses promoteurs. Selon ces derniers, la guerre est inévitable entre les deux superpuissances. La théorie des trois mondes a donc pour objectif la formation d'alliances militaires. De plus, comme ses promoteurs ont décrété que l'URSS est la superpuissance la plus dangereuse, l'alliance du tiersmonde avec le second monde s'élargit rapidement pour inclure la moitié du « premier monde », c'est-à-dire les États-Unis. La référence aux pays socialistes disparaît et est remplacée par le tiers-monde – comprenant bien entendu la Chine – qui est « élevé au rang de force motrice de l'Histoire ». Dans le contexte de la guerre annoncée, les classes exploitées du tiers-monde et du second monde sont prestement invitées à s'allier à leur propre bourgeoisie qui, fut-elle impérialiste, devient progressiste par un simple coup de baguette magique.

Dans le tiers-monde, les régimes les plus pro-américains comme ceux du Shah d'Iran, de Pinochet au Chili, de Marcos aux Philippines, de Duvalier en Haïti, de Suharto en Indonésie, doivent être soutenus et considérés comme faisant partie de « la force motrice de l'Histoire ».

Au Canada, selon la Ligue, la franchise maoïste canadienne, la classe ouvrière mène la « lutte de classe » pour de meilleurs salaires contre la bourgeoisie canadienne, mais se prépare à s'allier avec son « ennemi principal » pour la guerre inévitable contre « le social-impérialisme soviétique, l'ennemi le plus dangereux de tous les peuples ».

Évidemment, il était difficile au Canada de ne pas dénoncer à l'occasion l'autre superpuissance, les États-Unis. Après tout, la gauche

québécoise venait du mouvement anti-impéria-
liste d'opposition à la guerre au Viet-nam. Mais
l'impérialisme américain n'est dénoncé que
dans le cadre de la défense de l'« indépendance » du pays. Le Canada doit se joindre à la
coalition militaire contre l'URSS, mais en
toute « indépendance ».

L'adhésion de la Ligue à la « théorie des
trois mondes » l'a menée à adopter les positions les plus réactionnaires. La Ligue excusait
le pillage du tiers-monde par le Canada en le
présentant comme « le fruit de la lutte militante du tiers-monde ». « Le tiers-monde tord le
bras du Canada », pouvait-on lire dans *La
Forge*.

L'extrait suivant est significatif de la vision
du monde de la Ligue :

« Quand la bourgeoisie canadienne passe
des accords avec les pays du tiers-monde et
qu'elle est forcée par la montée impétueuse de
ces pays, qui jouent un rôle toujours plus grand
sur la scène internationale, d'entretenir des
rapports sur une base plus égalitaire, cela comporte un aspect positif. Bien sûr, elle y verra
une occasion de s'enrichir. À coup sûr, elle ten-
tera d'intensifier son exploitation et son pillage. Et ceci nous devons le combattre résolument. Mais objectivement, ce geste affaiblit la
mainmise des superpuissances, sape les bases
de leur hégémonie et contribue à les isoler. »

« L'exploitation et le pillage » ne sont désormais que des concepts subjectifs qui doivent
être balayés du revers de la main pour contem-

pler le progrès « objectif ». Après tout, si la bourgeoisie canadienne s'enrichit, elle pourra concéder plus de miettes aux ouvriers canadiens qui lui mènent une dure « lutte de classe » sous la direction de la Ligue.

La « théorie des trois mondes » avait tout pour plaire aux classes dirigeantes du Canada. Le premier ministre Pierre Elliott Trudeau avait effectué un voyage en Chine dans sa jeunesse et son gouvernement avait été un des premiers à reconnaître la Chine à l'ONU à la place de Taïwan. Dans sa biographie de Paul Desmarais, *Un homme et son empire,* le journaliste Dave Greber décrit le rôle central joué par Paul Desmarais à partir de 1978 dans le développement des relations commerciales entre le Canada et la Chine. Greber écrit que « ce sont des enseignants du Centre d'études est-asiatiques de l'Université McGill qui attirèrent l'attention d'industriels et de financiers tels que Paul Demarais sur la Chine ». Rappelons-nous que le MREQ, le groupe dirigeant des trois organisations qui ont fondé la Ligue, était formé d'étudiants de l'Université McGill.

Il est aujourd'hui admis par tous les analystes de la politique internationale que la « théorie des trois mondes » a été développée par Mao Tsé-Toung pour justifier l'alliance de la Chine avec les États-Unis qui s'est concrétisée par le voyage de Richard Nixon à Pékin en 1972.

La Chine avait rompu avec l'URSS en 1963 lorsque Krouchtchev a refusé de refiler aux dirigeants chinois le secret de la bombe atomique. Mao a alors entrepris une campagne internationale pour contrer le « révisionnisme krouchtchévien » et s'est présenté comme le défenseur de la Ligne générale du mouvement communiste international, le garant de l'héritage révolutionnaire de Marx, Engels, Lénine et Staline.

À cette époque, la figure de Mao est devenue fort populaire en Occident. Sa notoriété s'est accrue, particulièrement auprès de la jeunesse, lors de la Révolution culturelle de 1966 qui allait avoir une influence certaine sur Mai '68 en France et les révoltes de la jeunesse dans plusieurs autres pays. Cette popularité et la dissémination de ses idées n'auraient pu se faire sans une attitude bienveillante de la part de certaines sections des classes dirigeantes occidentales. Les États-Unis savaient-ils déjà qu'ils pourraient un jour faire alliance avec celui qui les qualifiait à l'époque de « tigre de papier » ?

Sans doute. Après tout, les archives du Département d'État ne contenaient-elles pas les rapports de la Mission Dixie, qui s'était rendue en Chine en 1944 ? De leur rencontre avec Mao, les experts du Département d'État rapportaient que « toute orientation que les communistes chinois ont pu avoir avec l'Union soviétique semble être chose du passé ». Mao leur avait dit que, s'il bénéficiait de l'aide américaine, il était prêt à mettre en place après sa victoire un congrès qui « ressemblerait à la Chambre des communes britannique ». Il voulait que la Chine soit un pont entre l'URSS et les États-Unis et il se déclarait ouvert à accueillir les capitaux américains pour industrialiser la Chine. Mais le gouvernement américain, influencé par le lobby chinois, a préféré appuyer Tchang Kaï-Chiang dans l'espoir de pouvoir transformer à nouveau la Chine en colonie.

Quelques années plus tard, en 1949, Chou En-Laï a fait parvenir un message secret aux États-Unis dans lequel il affirmait représenter un « groupe libéral » au sein du Parti communiste chinois qui voulait établir des liens plus étroits avec les États-Unis et moins engagés avec l'URSS. Les États-Unis se sont demandés si Mao n'était pas un nouveau Tito, le leader yougoslave, qui venait de rompre avec l'URSS. Les dirigeants soviétiques craignaient eux aussi que Mao soit un nouveau Tito. Dans leurs archives et celles de l'Internationale communiste (Comintern), des dossiers bien étoffés rappelaient comment Mao avait pris le pouvoir au sein du Parti communiste chinois en 1935 contre la fraction soutenue par le Comintern. Les théories de Mao étaient si peu orthodoxes que le communisme chinois était qualifié à Moscou de « communisme de margarine ». Staline aurait déclaré que le « communisme chinois est au véritable communisme ce que la margarine est au beurre ».

Cependant, en l'absence de réponse positive des États-Unis, Mao n'eût d'autre choix que de se rendre à Moscou et faire alliance avec l'URSS, d'autant plus qu'il craignait, semble-t-il, une invasion américaine de concert avec le Japon et les nationalistes de Tchang Kaï-Chek. Finalement, en 1949, la révolution chinoise triomphera avec l'appui non négligeable de l'URSS. En août 1945, l'Armée rouge avait envahi la Mandchourie pour chasser les impérialistes japonais. La Mandchourie était la province la plus industrialisée de la Chine et d'une grande importance stratégique. L'Armée rouge a vu à ce que les importants stocks de munitions et de provisions japonais aillent à l'Armée de libération nationale.

Quand Mao a pris le pouvoir, il n'a pas installé un régime soviétique – c'est-à-dire basé sur les soviets (conseils ouvriers) – comme en URSS, mais un régime de « démocratie nouvelle ». La différence entre les systèmes soviétique et chinois est bien illustrée dans les drapeaux des deux pays. Le drapeau soviétique a un marteau et une faucille symbolisant l'alliance des ouvriers et des paysans. Le drapeau de la Chine a une grande étoile flanquée de quatre petites étoiles symbolisant l'alliance des quatre classes se partageant le pouvoir : la classe ouvrière, la paysannerie, la petite-bourgeoisie et la bourgeoisie nationale.

De 1966 à 1969, une intense lutte de fractions pour le pouvoir se déroule dans le cadre de la Révolution culturelle. Elle se solde par la défaite de Lin Piao et de la bande des quatre, c'est-à-dire de la tendance pro-soviétique. En 1969, les dirigeants chinois moussent l'hystérie contre l'URSS en utilisant des incidents à la frontière entre les deux pays sur le fleuve Amour pour préparer le peuple à une alliance avec les États-Unis et entreprennent des négociations secrètes avec Kissinger pour préparer la visite de Nixon en Chine en 1972. Dans le cadre de sa lutte contre les « révisionnistes » soviétiques, la Chine a tenté, mais sans grand succès, d'attirer dans son giron des Partis communistes pro-soviétiques. À partir de 1969, elle oriente plutôt ses efforts vers les jeunes du mouvement de la contre-culture, issus de la contestation étudiante de 1968. Des jeunes qui avaient suivi avec grand intérêt la Révolution culturelle en Chine. Après tout, le socialisme utopique du mouvement hippie et la Révolution culturelle avaient beaucoup en commun. Le petit Livre rouge de Mao et ses maximes courtes et simplistes devint fort populaire en Occident.

Dans ses mémoires, le dirigeant albanais Enver Hoxha raconte que la Chine a soutenu financièrement par le biais de ses services secrets la formation de groupes maoïstes à travers le monde. Nous ne savons pas si ce fut le cas pour la Ligue, mais cela aurait pu très bien se faire par le biais de la société Amitiés Canada-Chine, fort active à l'époque, ou encore le Centre d'études est-asiatiques de l'Université McGill qui a courtisé Paul Desmarais.

La disparition de Mao en 1976 va créer d'immenses remous dans la mouvance maoïste. À la mort de Mao, il y avait plus de 100 groupes maoïstes reconnus par la Chine; trois ans plus tard, en 1979, il n'y en avait plus que 24 et seulement 10 en 1980.

Quand la Ligue s'est transformée en Parti communiste ouvrier, il ne lui est parvenu aucun message d'encouragement de la part du Parti communiste chinois. La Ligue avait soutenu Hua Guo Feng contre Deng Hsiao Ping à la mort de Mao. Mais Hua a été remplacé par Hu Yaoband, le protégé de Deng, qui, dans son premier discours comme président, a critiqué Mao pour avoir initié la révolution culturelle qu'il a décrit comme « un grand malheur pour le parti et le peuple ». Le message était clair : le Parti communiste chinois n'avait plus besoin des groupements maoïstes nés dans le sillage de la Révolution culturelle.

Par la suite, la Ligue s'est cherché un autre « parti père ». Elle développa alors des liens avec le parti maoïste de Pol Pot au Kampuchéa (Cambodge), le seul parti important qui lui a fait parvenir un message de soutien lors du congrès de fondation du Parti communiste ouvrier (PCO). À la fin de 1978, le bureau politique du PCO se rend en voyage au Kampuchéa et est de retour au Canada quelques jours seulement avant l'invasion vietnamienne.

Dès son arrivée, le PCO organise une vaste campagne de soutien contre l'invasion vietnamienne. Avant l'invasion, le Kampuchéa avait mauvaise presse dans les médias occidentaux, mais cette image s'est rapidement transformée en celle de « combattants héroïques de la liberté » après l'invasion vietnamienne. La délégation du PCO ayant été la « dernière délégation étrangère » à visiter le Kampuchéa avant l'invasion, les médias s'y sont intéressés. *La Presse* de Desmarais publie des entrevues avec des représentants du PCO. Le président Roger Rashi est invité à participer sur les ondes de Radio-Canada à l'émission *The Patrick Watson Report* où il a décrit les bienfaits du régime sanguinaire de Pol Pot. Un film réalisé par le PCO lors de sa visite a même été diffusé. Soulignons que le fils de l'animateur Patrick Watson était un des dirigeants du PCO en Ontario.

Par la suite, les Khmers rouges ont répudié le communisme et démis Pol Pot et le PCO n'en a plus fait mention. Le PCO se retrouvait orphelin dans une Internationale maoïste qui se désagrégeait.

Quelle fut la position de Charles Gagnon et du groupe En Lutte sur la question des liens à établir avec d'autres partis ou organisations marxistes-léninistes à travers le monde ? On ne sera pas surpris d'apprendre que Gagnon rejette toute idée de « parti père » ou de « patrie du socialisme ». Gagnon, on s'en souvient, avait une profonde aversion pour les « modèles ». Déjà, en 1968, au cours de sa période felquiste, il écrivait que ni Cuba ni l'URSS n'étaient des modèles. Il n'allait pas, quelques années plus tard, souscrire au modèle chinois.

Ni au modèle albanais d'ailleurs, lorsqu'en juillet 1977, Enver Hoxha et le Parti du travail de l'Albanie dénoncent la « théorie des trois mondes », rompent avec la Chine et mettent sur pied leur propre Internationale. Mais le modèle albanais ne fit pas long feu. L'Albanie n'était pas la Chine, Hoxha n'était pas Mao. La plupart des militants n'avaient jamais entendu parler de ce pays et de son leader et étaient incapables de situer l'Albanie sur une carte géographique.

La pureté des intentions de l'Albanie et de sa défense du marxisme-léninisme sera par la suite démasquée, lorsqu'il s'avéra qu'elle avait sa propre variante de la théorie des trois mondes. L'Albanie présentait comme progressistes les régimes de Khoemeiny, Anouar al Sadate et Idi Amine Dada et vantait les pays impérialistes « animés de bienveillance » à son égard comme l'Autriche, la Belgique, la France, la Hollande, la Suisse et les pays scandinaves avec lesquels elle entretenait de bonnes relations commerciales. De plus, pour l'Albanie, il ne semblait y avoir qu'une seule « superpuissance » : la Yougoslavie, sa voisine !

La pureté autoproclamée de ses ruptures de principe avec le révisionnisme soviétique et le maoïsme ne résistèrent pas non plus à l'analyse. L'Albanie ne se retira du Pacte de Varsovie qu'au moment de l'invasion russe de la Tchécoslovaquie en 1968 et elle ne rompit avec la Chine que lorsque celle-ci mit fin à son aide « fraternelle ».

De toute façon, En Lutte n'aurait pu, même si Gagnon l'avait souhaité, faire partie de l'Internationale albanaise. La concession canadienne avait d'ores et déjà été accordée à un autre groupuscule, le Parti communiste canadien (marxiste-léniniste) de Hardial Bains.

En Lutte pouvait bien affirmer son « indépendance » à l'égard des différentes tendances maoïstes internationales et réduire la stratégie révolutionnaire mondiale à une simple « tactique » subordonnée à sa stratégie fondamentale de lutte contre les mesures Trudeau, il ne pouvait complètement en faire fi. Au Canada, son désir de parvenir à l'unité avec la Ligue l'obligeait à une adhésion – « critique » bien entendu – à la « théorie des trois mondes ». À l'échelle mondiale, il ne pouvait se dérober devant ses militants à ses obligations internationalistes. Pour illustrer l'intérêt de la gauche pour ces questions, soulignons qu'un rallye organisé à Montréal en mars 1979 par Hardial Bains et l'Internationale albanaise avait rassemblé plus de 1 000 personnes.

Pour conserver une certaine crédibilité, En Lutte lance donc à l'automne 1978 son propre projet de création d'une Internationale. Rien de moins. Le document intitulé *Pour l'unité combattante du mouvement communiste international* est acheminé à une série de groupes maoïstes à travers le monde. Au début des années 1980, dans une série de trois articles, En Lutte fait le bilan de deux années d'efforts. Il se vante d'avoir établi des liens à différents niveaux avec 130 organisations dans 60 pays différents. Mais on apprend que ses « liens à différents niveaux » se résument à l'échange de publications pour plus d'une centaine des 130 organisations. En Lutte avait réussi à rencontrer les représentants de 60 organisations dans 35 pays différents, mais n'avait pu organiser plus d'une rencontre avec au moins la moitié d'entre elles. C'est donc dire que moins de 30 organisations ont été intéressées à entendre En Lutte une seconde fois. Parmi celles-ci, seulement une douzaine d'organisations ont appuyé le projet d'une conférence pour débattre d'unité. Mais il ne s'en est trouvé aucune pour endosser son appel. C'était un échec lamentable.

Chapitre 4

Les maoïstes
et la question nationale

L'ADHÉSION à la « théorie des trois mondes », et l'alliance implicite avec la bourgeoisie canadienne et l'impérialisme américain qu'elle impliquait, allait avoir des conséquences sur la position que prendront la Ligue et En Lutte dans le débat sur la question nationale québécoise et le référendum de 1980, bien que d'autres motifs idéologiques et politiques, propres à l'histoire du Canada et du Québec, influenceront également leur position.

En 1976, la victoire imprévue du Parti québécois crée une onde de choc à travers toute l'Amérique du Nord. Dans les jours qui suivent, les deux hommes d'affaires les plus puissants de Montréal, le président de Power Corporation, Paul Desmarais, et le président du Canadien Pacifique, Ian Sinclair, viennent partager chez l'ambassadeur américain Thomas Enders leurs premières impressions de la défaite. Au fil des mois qui suivront, Desmarais et Sinclair serviront de courrier entre Trudeau et l'ambassadeur américain qu'ils rencontrent régulièrement, peut-on lire dans *L'œil de l'aigle* de Jean-François Lisée.

L'élection du Parti québécois survient dans une période trouble pour les États-Unis. Depuis le début des années 1970, les relations de Washington avec ses partenaires – qui étaient au beau fixe depuis la fin de la Deuxième guerre mondiale – sont tendues. Pour contrer le déclin économique des États-Unis, le gouvernement Nixon a abandonné en 1971 la convertibilité du dollar en or et, avec elle, disparaît la stabilité du système international des paiements. Nixon impose ensuite une surtaxe de 10 % sur l'importation aux États-Unis de produits étrangers. En 1973, le choc pétrolier amplifie la crise. La production industrielle mondiale baisse de 10 % et le commerce international de 13 %. Les profits des entreprises sont en chute libre, sauf ceux, bien entendu, des pétrolières. Inflation et chômage se côtoient. Un nouveau terme est inventé pour décrire le phénomène : la stagflation. Aux États-Unis même, la crise provoque des secousses politiques entre les États producteurs de pétrole, comme le Texas, et les États consommateurs, comme ceux du Nord-Est.

Les tensions entre les États-Unis et ses partenaires s'étendent également aux relations entre Ottawa et Washington. En 1975, Trudeau annonce la fin de la « relation spéciale » entre le Canada et les États-Unis. Son gouvernement veut réduire la dépendance vis-à-vis des États-Unis et prône une « troisième voie » pour le Canada. Il crée l'Agence de tamisage des investissements et adopte la Nouvelle politique énergétique (NPE) pour mettre les richesses pétrolières de l'Alberta au service de l'industrie manufacturière de l'Ontario plutôt que de les exporter vers les États-Unis. La société d'État Pétro-Canada voit le jour à cette fin. Question de mécontenter davantage les États-Unis, Trudeau lance, lors d'une visite à Cuba en 1976, un retentissant « Vive Castro ! »

La transcription des enregistrements de la Maison Blanche révèle toute la considération que Nixon avait pour Trudeau : il le traitait d'« asshole ». Pour contrer la volonté de Trudeau de faire bande à part, les États-Unis appuient en sous-main les revendications d'autonomie provinciale de l'Alberta et de la Colombie-Britannique. Il faut rappeler qu'au Canada même, les politiques de Trudeau suscitent de vives réactions de la part des provinces de l'Ouest. Le gouvernement du premier ministre Lougheed est déchaîné contre Ottawa et utilise le fait qu'un parti sécessionniste albertain vient d'être créé pour appuyer ses revendications. Au Nouveau-Brunswick, un groupe d'hommes d'affaires engage une firme de consultants pour qu'elle examine la possibilité de l'annexion de la province aux États-Unis dans l'éventualité que se fasse l'indépendance du Québec.

En 1979, une coalition de ces forces centrifuges réussit à faire élire le gouvernement conservateur de Joe Clark, un politicien originaire de l'Alberta. Le Parti québécois de René Lévesque contribue à l'élection des conservateurs en appuyant au Québec l'élection des candidats créditistes de Fabien Roy. Une des premières mesures du gouvernement conservateur est le démantèlement de Pétro-Canada. Mais le gouvernement Clark est minoritaire et il sera rapidement renversé lorsqu'il propose un budget avec des hausses faramineuses du prix du baril de pétrole. Une politique taillée sur mesure pour les pétrolières de l'Alberta, mais désastreuse pour les industriels de l'Ontario. Trudeau reprendra le pouvoir pour affronter le Parti québécois lors du référendum de 1980.

Dans cette bataille, Trudeau peut compter sur l'appui indéfectible du président Jimmy Carter, élu en 1976, avec pour mandat de rétablir de bonnes relations entre les États-Unis et ses partenaires européens, japonais et canadiens. Carter est l'homme de la Commission trilatérale, mise sur pied par la riche famille Rockefeller, quelques années auparavant, pour réparer les pots cassés par l'administration de Richard Nixon. Gouverneur d'un État du sud, la Géorgie, Carter symbolise la réconciliation entre le Nord et le Sud. Dans son cabinet, on dénombre, en plus de Carter lui-même, vingt membres de la Trilatérale dont le vice-président Walter Mondale, le secrétaire à la Défense Brown, le secrétaire au Trésor Blumenthal et, surtout, le conseiller à la Sécurité nationale Zibgniew Brzezinski, qui avait été la cheville ouvrière de la mise sur pied de la Trilatérale et son premier directeur.

Dans son livre *L'œil de l'aigle*, Jean-François Lisée souligne le grand intérêt de Zibgniew Brzezinski pour la question du Québec, qu'il considérait d'un intérêt stratégique majeur. Brzezinski avait vécu au Québec et fréquenté l'Université McGill. Il connaissait bien le phénomène des « deux solitudes », avouant avoir eu peu de rencontres avec des francophones.

Mais il comprenait également le ressentiment québécois face au mépris des anglophones qu'il avait lui-même expérimenté en tant qu'immigrant polonais. Sans doute aussi à cause de ses origines polonaises, Zibgniew Brzezinski ne minimisait pas l'importance du nationalisme. Cependant, cela n'en fait pas un partisan de la souveraineté du Québec. Au contraire, il en est un farouche opposant. Il prédit un « résultat apocalyptique » en cas de victoire des souverainistes au référendum. Il partage le point de vue des autres experts du Département d'État qui considèrent que l'indépendance du Québec risque de provoquer la désintégration du Canada. Avec les différentes forces centrifuges à l'œuvre, la crainte était réelle d'un morcellement du Canada anglais en plusieurs pays. Une telle éventualité est un cauchemar pour Washington parce qu'elle compromet, en pleine guerre froide, la défense des États-Unis. De plus, la dissolution d'une grande fédération comme le Canada pourrait, croyait-on au Département d'État, avoir des conséquences imprévisibles aux États-Unis mêmes sur les relations difficiles entre le Nord et le Sud.

Cependant, la crise politique au Canada pouvait être mise à profit. La dissolution est à rejeter, mais la balkanisation pouvait être rentable. Washington pouvait appuyer les revendications des provinces sur le contrôle des ressources naturelles pour faciliter l'importation du pétrole canadien. Après tout, il y avait des exemples historiques de cette politique. Est-ce que cela n'avait pas été justement la politique de la Grande-Bretagne qui, tout en ayant concédé la Confédération, s'était gardée le pouvoir de favoriser les droits des provinces en s'octroyant le privilège d'intervenir dans les affaires canadiennes à titre d'arbitre ultime avec le Conseil Privé qui fait office de Cour suprême jusqu'en 1931 ?

Trudeau comprend vite que l'élection du Parti québécois modifie la donne politique dans ses relations avec ses voisins du sud. Il met en sourdine sa nouvelle politique énergétique et enlève toutes ses dents à l'Agence de tamisage des investissements, si bien que le magazine financier états-unien *Barron's*, farouche opposant à l'Agence de tamisage, a pu écrire que désormais « la seule compagnie étrangère qui ne pourrait s'installer au Canada est Murder Inc. ».

Dans ces conditions, Ottawa et Washington pouvaient collaborer pour empêcher une victoire du *Oui* au référendum de 1980. Évidemment, cela ne rayait pas les divergences sur les suites à donner à une victoire du *Non*. Nous savons qu'elle fut la réponse de Trudeau : le rapatriement de la Constitution en vue d'une centralisation des pouvoirs. Le Département d'État privilégiait, selon les documents produits par Jean-François Lisée, une solution qui « assurerait au Québec la suprématie du caractère français et de sa culture ». Ce sera la société distincte de Mulroney. Mais, de 1976 à 1980,

Ottawa et Washington sont sur la même longueur d'ondes.

L'ambassadeur Thomas Enders met tout en œuvre pour que le discours de René Lévesque devant l'Economic Club soit un désastre en contactant personnellement bon nombre des hommes d'affaires qui souhaitaient y assister. L'administration Carter fait même l'insigne honneur à Pierre Elliott Trudeau de s'adresser aux deux chambres du Congrès réunis. À cette occasion, Trudeau déclare que l'indépendance du Québec serait « un crime contre l'Histoire de l'Humanité ».

La Ligue et En Lutte adoptèrent la position que l'indépendance du Québec serait favorable aux États-Unis, laissant même sous-entendre que Washington appuyait en sous-main le Parti québécois. À leur décharge, il faut signaler que cette analyse était alors populaire dans plusieurs milieux.

L'URSS et les socialistes français, par exemple, se portaient à la défense de l'unité canadienne contre les appétits américains. Un livre, *Le Canada, dernière chance de l'Europe*, écrit par Claude Julien, avait eu un impact considérable dans les milieux politiques français. Comme son titre l'indique, l'auteur défendait l'idée que seule une alliance entre un Canada uni et l'Europe pourrait constituer un contrepoids à l'empire américain. C'est également l'idée à la base de la « troisième voie » de Pierre Elliott Trudeau. Quant aux communistes français, ils avaient, relate Jean-François Lisée,

applaudi dans un premier temps l'établissement d'un « État du peuple canadien-fran-
çais », condition de « l'opposition à l'impérialisme yankee ». Mais leur quotidien *L'Humanité*
dut bientôt rentrer dans le rang soviétique,
battre en retraite, et condamner de Gaulle d'a-
voir soutenu des politiciens « réactionnaires »
comme Johnson et Lesage.

Bien entendu, il était possible à l'époque de
trouver des déclarations de certains hommes
d'affaires états-uniens qui se montraient sym-
pathiques à la souveraineté du Québec. C'était
le cas par exemple des financiers d'Hydro-
Québec. Ainsi, le président Frederick Clark de
la New York State Power Authority Bureau
déclarait : « Nous sentions que si le Québec se
séparait, nous continuerions à faire des affaires. Ils vendent. Nous achetons. C'est tout. »
Mais il était clair que ce n'était pas la politique
du gouvernement des États-Unis et une analyse politico-économique plus fouillée démon-
trait que la balkanisation du Canada était l'option privilégiée par Washington. Au Canada, le
Parti conservateur de Joe Clark représentait
ces intérêts des bourgeoisies régionales et de
l'impérialisme américain avec sa vision du
Canada comme étant « une communauté des
communautés ». Au Québec, les propositions
de réforme constitutionnelle du Livre beige de
Claude Ryan auraient conduit à une décentralisation du Canada en accordant davantage de
pouvoirs aux provinces. Claude Ryan était en ce
temps membre de la Commission trilatérale

des Rockefeller. Son accession à la tête du Parti libéral se fera contre la volonté des libéraux fédéraux de Pierre Elliott Trudeau. Les visions opposées de Trudeau et de Ryan sur l'avenir du Canada expliquent l'animosité entre les deux hommes au cours de la campagne référendaire. Par la suite, les libéraux fédéraux refuseront tout soutien à l'équipe libérale de Ryan aux élections de 1981, marquant ainsi leur préférence pour une victoire du Parti québécois qu'ils savaient affaibli, et Claude Ryan se prononcera contre le coup de force constitutionnel de Trudeau.

De telles analyses circulaient à l'époque. Déjà, dans *L'Urgence de choisir*, publié en 1972, Pierre Vallières avait produit une bonne étude des rapports entre le Canada et les États-Unis. « Trop d'illusions, écrit-il, sont encore véhiculées au sujet des avantages que les États-Unis pourraient trouver à l'indépendance du Québec comme si le Canada tel qu'il est constitué ne les servait pas au maximum de leurs intérêts impérialistes. »

La suite des événements a confirmé cette idée. Le rejet lors du référendum de 1980 de la proposition du Livre blanc du Parti québécois d'une nouvelle entente entre le Québec et le Canada – qui était une offre d'alliance au Canada-anglais pour contrer les États-Unis – conduira à la victoire des conservateurs de Brian Mulroney, au virage pro-américain du Parti québécois avec le « beau risque » et à l'adoption du traité de libre-échange avec les

États-Unis. En fait, la seule véritable position anti-impérialisme américaine a été celle formulée par le Général de Gaulle en 1967 avec son « Vive le Québec libre ! »

Comment la Ligue et En Lutte pouvaient-ils invoquer comme un de leurs principaux arguments contre le *Oui* au référendum le fait que l'indépendance était favorable aux intérêts états-uniens ? Comment pouvaient-ils encore partager de telles « illusions » pour emprunter l'expression de Pierre Vallières ? Sur quelle analyse s'appuyait leur politique ? Comment était-il concevable de soutenir que le maintien du fédéralisme pouvait être un rempart à la pénétration des intérêts états-uniens alors que les États-Unis contrôlaient déjà 50 % de la production industrielle du Canada ?

En Lutte et le PCO ont présenté leur position en faveur de l'annulation au référendum de 1980 comme une « troisième voie », une voie « indépendante », la « voie de la classe ouvrière ». *La Forge* affirme : « La classe ouvrière doit prendre une position indépendante des deux options des patrons. C'est sur cette base que le PCO appelle à l'annulation » (21 mars 1980). Son frère jumeau *En Lutte* ânonne pour sa part : « La seule réponse au référendum péquiste, c'est d'annuler son vote et de manifester ainsi qu'on ne se laisse pas tromper ni par les nouveaux démagogues de la nation que sont les péquistes, ni par les défenseurs à tout prix du statu quo de l'oppression » (tiré de la brochure *Ni fédéralisme renouvelé, ni souveraineté-association*).

Malgré leur prétention commune à présenter une voie « indépendante », une analyse plus poussée de certaines de leurs positions révèle qu'ils n'hésitaient pas à s'aligner dans un camp précis. L'étude de leur position face au démantèlement projeté de Pétro-Canada – ou tout au moins à la révision de son mandat – par le gouvernement conservateur de Joe Clark est très révélatrice à cet égard.

Bien entendu, les journaux de Power Corporation de Paul Desmarais partirent aussitôt en guerre pour la défense de Pétro-Canada qui, soulignons-le au passage, ne comptait que huit francophones sur mille employés. Mais ils ne furent pas les seuls. *La Forge,* le journal du PCO, titrait dans son édition du 10 août 1979 : « Les Canadiens seront victimes du démantèlement de Pétro-Canada. » Le PCO attaque le gouvernement de Joe Clark parce que « tant que les monopoles étrangers contrôleront la majorité de notre industrie énergétique, les vastes richesses du Canada serviront à augmenter leurs profits et non à satisfaire les besoins du pays ». Pour le PCO, la privatisation de Pétro-Canada « consiste à transférer des millions de dollars venant de la majorité du peuple dans les coffres bien garnis d'une minorité de capitalistes ».

Aucun doute possible, le PCO se situe clairement dans le camp du nationalisme canadien défendu par Trudeau et Desmarais. Mais le plus instructif et le plus révélateur est la position que le PCO prend face au Parti québécois et à sa politique en faveur des sociétés d'État québécoises. Dans son édition du 15 juin 1979, *La Forge* dénonce l'octroi de 400 millions de dollars par le Parti québécois à Sidbec, la société d'État de la sidérurgie : « Le gros de l'argent économisé sur le dos des travailleurs du secteur public va en subventions et en allégements fiscaux et à l'expansion des sociétés d'État. » Pour le PCO, les sociétés d'État québécoises ne servent qu'à « promouvoir le développement de tous les capitalistes québécois » (*La Forge*, 27 avril 1979). Il en prend pour exemple Sidbec qui « vend aux capitalistes québécois l'acier 15 % moins cher que les monopoles canadiens Stelco et Dofasco » (ibidem).

Il existe donc une distinction fondamentale, pour le PCO, entre les sociétés d'État fédérales, comme Pétro-Canada, et les sociétés d'État québécoises. Les premières sont là pour « servir les intérêts du peuple », alors que les secondes ne visent qu'à « promouvoir le développement des capitalistes québécois ». Que Pétro-Canada serve à approvisionner l'industrie manufacturière de l'Ontario en pétrole à bon marché est juste parce que cela « vise à satisfaire les besoins du pays ». Mais que Sidbec fournisse aux entreprises québécoises de l'acier 15 % moins cher que les sociétés ontariennes, c'est de la concurrence déloyale !

Si la nationalisation d'une partie de l'industrie pétrolière avec Pétro-Canada « nous permet de contrôler nos ressources », aux dires du PCO, la nationalisation projetée de l'Asbestos Corporation par le gouvernement du Parti québécois « ne vise pas, selon le PCO, à mettre entre les mains du peuple cette richesse naturelle considérable » (*La Forge*, 11 mars 1979). Au contraire, la nationalisation de l'amiante « s'inscrit dans la stratégie d'ensemble de la bourgeoisie nationaliste québécoise qui consiste à utiliser l'État pour devenir une grande bourgeoisie monopoliste » (ibidem).

En Lutte partage avec la Ligue cette compréhension de la question nationale comme étant essentiellement la lutte de la bourgeoisie québécoise pour accéder au rang de grande bourgeoisie nationale. La question nationale se résume à une lutte entre deux bourgeoisies, la québécoise et la canadienne. Cela appelle plusieurs remarques. Premièrement, si tel avait été le cas, sur la base de quels critères fallait-il privilégier une bourgeoisie plutôt qu'une autre ? Pourquoi pas la québécoise plutôt que la canadienne ? Deuxièmement, l'affirmation que la bourgeoisie québécoise ait pu à l'aide de l'État « devenir une grande bourgeoisie monopoliste » ne résiste pas à l'analyse. Combien peut-on compter de bourgeoisies de nations opprimées qui sont devenues de « grandes bourgeoisies impérialistes » depuis que l'impérialisme s'est imposé à l'échelle du globe au début du XXe siècle ? Combien de « bourgeoisies nationales » africaines, asiatiques ou latino-américaines font aujourd'hui partie du club sélect des « grandes bourgeoisies impérialistes » ? Aucune. Même le Brésil avec plus de 175 millions d'habitants et des ressources considérables est toujours considéré comme un pays dominé. Le PCO et En Lutte analysent la situation canadienne et mondiale comme si nous étions encore au XIXe siècle quand le capitalisme était concurrentiel et qu'émergeaient les grandes bourgeoisies. À la fin du XXe siècle, au cœur de l'impérialisme, le partage du monde est complété depuis longtemps et il n'y a pas de place pour l'émergence de nouvelles « grandes bourgeoisies impérialistes » qui se mettraient à contester la domination des bourgeoisies impérialistes existantes. Même aujourd'hui, il n'est pas évident que l'URSS et la Chine, malgré leurs immenses populations et richesses, et le fait qu'elles aient été à l'écart pendant de nombreuses années du marché capitaliste, pourront devenir de « grandes bourgeoisies impérialistes ».

Dans *L'Urgence de choisir*, Pierre Vallières écrit que la domination impérialiste sur le Québec s'exerce principalement sur les secteurs-clés de l'économie et suffit « pour influencer directement l'ensemble d'une collectivité, surtout d'une collectivité colonisée ». Il en tire la conclusion que, dans le cadre d'un tel système, « l'édification d'un capitalisme national par une société comme le Québec, même avec l'aide d'un État souverain, est une impossibilité économique et politique ». Nous ne pouvons nier qu'il existe un « capitalisme national » au Québec, faible et dominé selon nous, mais nous comprenons les propos de Vallières comme signifiant l'impossibilité de l'édification d'une « grande bourgeoisie nationale impérialiste ». La présence de quelques grands monopoles mondiaux comme Quebecor ou Bombardier n'infirme pas cette analyse. Malheureusement, nous ne possédons pas aujourd'hui d'analyse fouillée sur le contrôle de l'économie québécoise par le capital québécois et étranger. Une première étude publiée par Gaétan Breton dans la revue *L'Apostrophe* (vo. 2, no. 1. Hiver 2003) révèle que les Québécois ne contrôlent que 39 des 100 plus grosses entreprises, selon le critère des revenus, installées au Québec. Aujourd'hui, le discours sur la mondialisation a évacué tout le débat sur le nationalisme économique et la prise de contrôle de nombreuses entreprises québécoises par des intérêts étrangers est passée sous silence par tous les analystes, y compris les péquistes. Le sujet est même devenu tabou. Le rêve d'une « grande bourgeoisie impérialiste » québécoise – le célèbre Québec Inc. – est un mythe inventé par des journalistes torontois, les frères de ceux qui ont popularisé le terme du « french power » en politique au temps du gouvernement Trudeau. En Lutte et le PCO se sont faits le relais gauchiste de cette campagne d'intoxication.

L'approche du PCO et d'En Lutte qui consiste à réduire la question nationale en une lutte entre deux bourgeoisies est fondamentalement erronée. Qu'il y ait une lutte entre deux bourgeoisies ne peut être nié, tout en précisant que c'est une lutte entre une bourgeoisie dominante et une bourgeoisie dominée. Mais là n'est pas la caractéristique fondamentale de la question nationale à notre époque. La question nationale québécoise, c'est fondamentalement la lutte d'un peuple voulant s'affranchir de son asservissement économique, politique et culturel.

□

Dans leur campagne contre la souveraineté du Québec, les États-Unis et le Canada-anglais prennent le Parti québécois et son chef, René Lévesque, comme cibles privilégiées. Dans *L'œil de l'aigle*, Jean-François Lisée fait un relevé de la presse états-unienne au lendemain de la victoire péquiste. Les médias de droite évoquent la création d'un nouveau Cuba, les médias de gauche parlent de Lévesque comme d'un nouvel Hitler. Pierre Elliott Trudeau va emprunter la recette pour rallier la droite et la gauche. Dans un de ses célèbres discours à la veille du référendum, il évoque en parlant d'un Québec indépendant les exemples de Cuba et de Haïti, alors sous la férule de Papa Doc Duvalier. En Lutte et le PCO n'allaient pas être en reste.

Bien que les deux groupes aient proclamé dans leurs déclarations de principe sur la « contradiction principale » que la bourgeoisie canadienne était leur ennemi principal, nous avons vu qu'elle devenait leur plus fidèle allié dans le cadre de la « théorie des trois mondes ». Il en est de même sur la scène canadienne avec la question nationale québécoise. Les deux organisations cherchent à démoniser le Parti québécois et en ont fait leur ennemi principal. Cela s'est traduit par le slogan fort populaire à cette époque : « Parti québécois, parti bourgeois. » Un slogan taillé sur mesure pour éloigner les éléments progressistes du Parti québécois. Aucun qualificatif semblable ne fut affublé au Parti libéral québécois, encore moins au Parti libéral canadien. Pourtant, avec ses 300 000 membres, sa caisse électorale financée par ses membres, le Parti québécois était un des plus importants partis démocratiques de masse au monde, proportionnellement à l'importance de la population du Québec.

Le PCO et En Lutte mettent en garde les travailleurs et les travailleuses contre le Parti québécois en soutenant que leurs droits seraient menacés parce qu'un Québec indépendant sera soumis à « une bourgeoisie jeune et agressive ». Évidemment, il n'y avait rien de plus convaincant que de pouvoir fournir des exemples de matraquage policier préfigurant la situation dans un Québec souverain. L'épisode de la grève à la Commonwealth Plywood est fort éloquent à ce propos. Rappelons donc les faits. Le 19 septembre 1977, les ouvriers et les ouvrières de la Commonwealth Plywood à Sainte-Thérèse en banlieue de Montréal déclenchent la grève pour faire respecter leur décision de changer de syndicat. Rejetant un syndicat dominé par leur patron, un certain M. Caine, ils veulent adhérer à la CSN. La riposte de Caine ne se fait pas attendre. Elle est clairement provocatrice. Quelques jours avant la grève, il congédie 118 employés. Dès leurs premiers jours de grève, les ouvriers sont assaillis d'injonctions et d'amendes de toutes sortes. Des grévistes se font arrêter par les forces policières et le patron essaie même de faire déporter des grévistes immigrants.

La Ligue est parfaitement consciente des intentions du patron et sait que les enjeux de cette grève dépassent le cadre d'un simple conflit patron-ouvriers. Dans *La Forge* du 26 mai 1978, on peut lire : « De gros bourgeois monopolistes financent Caine. Il bénéficie par exemple des services d'une des firmes d'avocats les plus prestigieuses de Montréal : la Maison Byers-Casgrain, étroitement liée aux partis libéral et conservateur au fédéral. Pour la bourgeoisie monopoliste, le jeu en vaut la chandelle. Elle veut écraser le mouvement syndical par l'affrontement direct et elle vise particulièrement la CSN à cause de sa réputation de centrale militante. Mais, en plus, à travers la grève, elle désire montrer que le PQ n'est pas capable de gérer comme il faut les intérêts des capitalistes. Qu'il n'est pas capable de maintenir l'ordre social. » La stratégie patronale est claire aux yeux de la Ligue : déstabiliser la CSN et le PQ.

Que fait la Ligue dans ces circonstances ? Elle dépense une fortune pour déplacer à chaque matin de Montréal à Sainte-Thérèse un grand nombre de ses membres et sympathisants afin d'organiser devant la Commonwealth Plywood une impressionnante ligne de piquetage. C'est de la pure provocation. Les forces policières prennent prétexte de la présence de la Ligue – « Ce ne sont même pas les grévistes qui sont sur la ligne de piquetage mais de jeunes gauchistes », disent les policiers – pour justifier leur assaut et arrêter 85 personnes, en grande majorité des membres de la Ligue. Les ouvriers et les ouvrières de la Commonwealth Plywood s'étaient retirés des abords de l'usine ce matin-là lorsqu'il est devenu clair que la Ligue recherchait l'affrontement.

Peu de temps après ces événements, se tenait à Montréal un important congrès de la CSN dont un des points importants à l'ordre du jour était la question nationale. À l'invitation pressante des membres de la Ligue présents au congrès, les délégués se rendirent sur les lignes de piquetage dressées devant l'usine de la Commonwealth Plywood pour appuyer les grévistes. Ils furent rapidement assaillis par les policiers de Sainte-Thérèse, aidés de ceux de la Sûreté du Québec. Plusieurs dirigeants de la centrale, reconnus pour leurs sympathies péquistes, firent l'objet d'une attention particulière de la police et furent sévèrement tabassés. Il était évident que cet assaut policier s'inscrivait dans la politique d'affrontement des forces fédéralistes que la Ligue avait si bien décrite dans les pages de *La Forge*. Le PQ n'avait aucun intérêt à une telle confrontation avec ses principaux alliés dans le mouvement syndical, surtout pas pendant un Congrès où devait être débattue la question nationale. D'ailleurs, le lendemain, *La Presse* de Power Corporation faisait sa manchette avec des photos de congressistes de la CSN déchirant leur carte de membre du Parti québécois.

Quelle fut l'attitude de la Ligue au congrès de la CSN ? A-t-elle dénoncé le complot des forces fédéralistes ? Bien sûr que non ! Ses membres déployèrent beaucoup d'énergie sur le plancher du congrès à faire reposer la responsabilité de l'attaque policière sur le Parti québécois. C'était la Sûreté du Québec, donc c'était le PQ! Quant aux contradictions bien connues entre la Sûreté et le PQ, il ne fallait pas mélanger les congressistes avec de telles considérations. Dans le numéro de *La Forge* qui a suivi ces événements, la Ligue reprend fidèlement la manchette de *La Presse* en titrant : « Devant la Commonwealth Plywood, assaut brutal de la police sur les congressistes de la CSN. Le PQ largement dénoncé. » (*La Forge*, 9 juin 1978). Pas un mot sur le complot fédéraliste !

L'argument qu'un Québec souverain, « soumis à une bourgeoisie jeune et agressive », serait un enfer ne suffisait manifestement pas à convaincre les travailleurs et leurs organisations syndicales qui avaient deux cents ans d'expérience du fédéralisme canadien et de sa « bourgeoisie vieille et expérimentée ». Aussi,

En Lutte et le PCO servirent-ils aux travailleurs l'argument massue de l'unité de la classe ouvrière. La séparation, clamaient-ils, « diviserait la classe ouvrière canadienne ». Mais de quelle unité était-il question ? La classe ouvrière est par définition divisée par la concurrence capitaliste, divisée entre nationalités, divisée entre hommes et femmes. Lancé tel quel, l'argument niait le droit à l'autodétermination de la nation québécoise, car toute séparation « diviserait » par définition la classe ouvrière, peu importe les circonstances. Encore une fois, nos maoïstes faisaient référence à la lutte économique de la classe ouvrière, par exemple à la lutte contre les mesures Trudeau dont En Lutte nous avait dit qu'elle marquait le début de la « révolution socialiste ». Mais parler de la véritable unité de la classe ouvrière, c'est faire référence à son unité politique. Celle-ci implique la reconnaissance par les ouvriers de la nation dominante du droit à l'autodétermination de la nation dominée. Cela signifie la prise de conscience par ces ouvriers, et leur renoncement, aux privilèges que leur nation tire de l'oppression de la nation dominée et dont ils profitent par de meilleurs salaires, des conditions de travail et de vie supérieures. Par exemple, le fait que l'industrie lourde et l'industrie automobile, avec ses meilleurs salaires, se soient historiquement établis en Ontario et que l'industrie légère, basée sur l'exploitation d'une main d'œuvre bon marché, ait élu domicile au Québec n'est pas le fruit du hasard ou de considérations géographiques.

Encore une fois, Pierre Vallières avait fait preuve dans *L'Urgence de choisir* d'une analyse beaucoup plus pénétrante de l'impérialisme et de la division fondamentale qu'il provoque entre nations oppressives et nations opprimées. « La classe ouvrière de la nation dominante, écrivait-il, est intégrée au système monopoliste qui l'a associée à ses bénéfices dans une proportion suffisante pour qu'elle ait intérêt à le soutenir et à le défendre. » Il ajoutait que la condition sine qua non de leur unité entre travailleurs anglophones et québécois était « la reconnaissance par les travailleurs anglophones du Canada (et du Québec) du droit pour la société québécoise de constituer un État national indépendant ».

Bien entendu, l'obtention de cette condition sine qua non rendait beaucoup plus difficile l'unité recherchée par En Lutte des travailleurs canadiens et québécois dans leur « véritable lutte de classe » contre les mesures Trudeau. Plus tard, quand ses diffuseurs se baladeront au Canada anglais pour faire signer sa pétition en faveur de « l'égalité absolue des langues et des nations et du droit à l'autodétermination du Québec », En Lutte reconnaîtra candidement dans les pages de son journal qu'il était beaucoup plus facile de faire signer les travailleurs canadiens-anglais lorsqu'on leur disait qu'En Lutte était contre la séparation du Québec !

□

En Lutte et le PCO ne pouvaient se contenter de dénoncer le Parti québécois et d'en appeler abstraitement à l'unité de la classe ouvrière. Ils devaient présenter leur propre solution à la question nationale. Encore une fois, leur point de départ présente beaucoup de similitudes avec ce qui se concoctait alors à Washington et à Ottawa.

Jean-François Lisée rappelle dans *L'œil de l'aigle* l'essentiel de la position états-unienne : « La question québécoise est un problème interne au Canada, et nous avons toute confiance en la capacité des Canadiens de le résoudre. » Lisée souligne que le mot clé dans cette déclaration est « Canadiens ». Washington, contrairement à Paris, ne reconnaît pas qu'il appartient aux seuls Québécois de « résoudre » la question.

Malgré leurs prétentions contraires, En Lutte et le PCO nieront également aux seuls Québécois le droit de se prononcer sur leur avenir. On se rappellera que le référendum de 1980 ne portait pas directement sur l'indépendance du Québec. Les électeurs devaient se prononcer sur une question qui confiait au gouvernement du Parti québécois le mandat de négocier une nouvelle entente; cela était assorti de la promesse d'un autre référendum, aux termes des négociations, qui porterait alors sur la souveraineté. En Lutte et le PCO en étaient bien conscients puisqu'ils firent campagne pour que la question soit modifiée et porte vraiment sur la souveraineté. Évidemment, leur objectif était que l'option soit défaite de façon encore plus décisive. Mais déjà, en appelant à l'annulation lors du premier référendum, les deux groupes niaient au peuple québécois la possibilité de se prononcer sur son avenir lors du deuxième référendum.

Pour les deux organisations maoïstes, la solution véritable à la question nationale réside dans une réforme constitutionnelle à Ottawa. À cette fin, les deux appuient le rapatriement de la Constitution qu'envisageait déjà le gouvernement Trudeau. La solution d'En Lutte consiste à faire reconnaître dans une nouvelle constitution « le principe fondamental de l'égalité des langues et des nations et le droit à l'autodétermination de la nation québécoise ». Pour En Lutte, « cette revendication remet en question tout ce qu'a été l'État canadien depuis ses origines » et est, bien entendu, « liée à la lutte pour le socialisme » (*En Lutte,* 15 janvier 1980).

La remise en question de « tout ce qu'a été l'État canadien depuis ses origines » est bien limitée puisqu'elle postule le maintien de l'intégrité de l'État canadien créé sur la base de l'oppression du Québec par une loi du Parlement de Londres sans que le peuple ait pu se prononcer. Telle serait donc la « voie révolutionnaire » ! Comme remise en question, on a déjà fait mieux !

De plus, si la solution à la question nationale québécoise est tributaire d'une modification constitutionnelle à la loi fondamentale du pays, cela revient à remettre le sort de cette question entre les mains de tous les Canadiens et non plus des seuls Québécois. En somme, comme Washington, En Lutte a « toute confiance en la capacité des Canadiens de résoudre » la question.

En Lutte confond délibérément la question de l'égalité des langues et des nations avec le droit à la sécession. Il limite la question nationale à ses seules dimensions culturelle et linguistique, alors que la question de l'oppression nationale est beaucoup plus large. Fondamentalement, elle pose le problème des liens de contrainte qui « unissent » la nation opprimée à la nation oppressive, c'est-à-dire forcer une nation à demeurer dans les frontières de la nation dominante et non pas uniquement forcer une nation à répudier sa langue maternelle pour lui en imposer une autre.

Mais En Lutte peut également être critiqué sur sa conception de « l'égalité des langues et des nations ». En Lutte avait fait se dresser les cheveux sur la tête de tous les démocrates en présentant comme « progressiste » une éventuelle assimilation de la nation québécoise. Il affirmait : « Et si alors le mouvement de l'histoire en venait à assimiler l'une ou l'autre nation, l'une ou l'autre minorité nationale, cela ne correspondrait nullement à une oppression nationale, mais bien à la tendance objective du développement économique à dissoudre les frontières nationales en tissant à l'échelle mondiale un réseau de relations économiques, sociales et culturelles de plus en plus serré » (*En Lutte,* no. 89).

En Lutte semble, encore une fois, confondre deux époques historiques, celle du capitalisme de libre-concurrence et celle de l'impérialisme. À l'époque de la naissance du capitalisme et de la formation des nations, l'assimilation des différents dialectes en une langue nationale a certes été un phénomène progressiste. Il en fut de même de l'unification des villes et des bourgs en de grands États centralisés et la création de marchés nationaux. Le programme « d'égalité des langues et des nations » d'En Lutte était alors le programme démocratique approprié. Mais présenter comme progressistes en 1980 l'assimilation des nations et la dissolution des frontières nationales est une trahison démocratique et une légitimation du pillage impérialiste et de l'oppression des nations.

La déclaration d'En Lutte a soulevé un tollé et, pour se sortir du guêpier dans lequel il avait mis les pieds, il affirme qu'il n'avait pas voulu décrire la situation sous l'impérialisme, mais bien celle qui prévaudrait sous le socialisme. La réplique d'En Lutte vaut la peine d'être lue. « Quelle ne fut pas alors le tollé général que devait soulever, chez tous les défenseurs de " l'identité nationale ", cette toute petite phrase. Nous avions tout simplement osé toucher à la sacro-sainte nation. Et la vérité est du côté du marxisme-léninisme, du côté de ceux qui,

136

plutôt que de flirter avec le nationalisme, sont en mesure de dire clairement aux masses qu'à une époque où tout privilège national aura été aboli, sous le socialisme et le communisme, les nations auront inévitablement tendance à disparaître et à fusionner » (*Unité prolétarienne,* no. 13).

Cette nouvelle position n'était pas plus juste que la précédente. Contrairement à ce qu'affirme En Lutte, les classiques du marxisme-léninisme ont toujours fait une distinction très nette entre la fin de l'oppression nationale et l'extinction des nations. Le socialisme est présenté comme l'occasion rêvée de l'éclosion et du développement des nations. Après la Révolution de 1917, les soviétiques ont même « ressuscité » des nations « oubliées » de tradition orale en consignant leurs langues par écrit et favorisant leur développement culturel par la création de tout un réseau d'écoles, de théâtres et d'autres institutions culturelles dans leur langue. La « fusion des nations » est bien un concept marxiste, mais prévu dans un très lointain avenir lorsque le communisme aura remplacé le socialisme à l'échelle du monde. La fusion des nations et la formation d'une langue commune – autre qu'une des langues existantes – est envisagée après l'extinction de l'État et la disparition des classes sociales. En fait, la seule référence aux propos d'En Lutte se retrouve chez le socialiste allemand Karl Kautsky qui affirmait que le triomphe de la révolution prolétarienne dans l'État austro-hongrois au XIXe siècle eût amené la formation d'une seule langue allemande commune et la germanisation des Tchèques. Karl Kautsky – mieux connu dans le mouvement communiste comme le « renégat Kautsky » – a été cloué au pilori pour cette déclaration. Mais, comme peu de militants au Québec avaient quelque connaissance historique de ce débat, En Lutte a donc pu s'en tirer avec sa prise de position « kautskiste ».

Le PCO revendique lui aussi le rapatriement de la Constitution et l'élaboration d'une nouvelle constitution canadienne. Comme En Lutte, il affirme que celle-ci devrait inclure « la reconnaissance de l'égalité en droit de toutes les nationalités de notre pays et le droit du Québec à l'autodétermination jusqu'à et y inclus la séparation ». De plus, et c'est là qu'il se distingue d'En Lutte, il spécifie que « la constitution devrait reconnaître aussi une forme d'autonomie régionale pour toutes les nationalités de notre pays », ce qui signifie « pour le Québec, la reconnaissance de son statut d'égalité avec la nation canadienne-anglaise qui se concrétiserait au sein du pays par l'établissement d'une République du Québec égale en droits à une République du Canada anglais. Ceci est la forme que prendrait l'autonomie régionale dans le cas du Québec » (*La Forge*, 21 mars 1980).

Bien que le PCO proclame son soutien au droit à l'autodétermination de la nation québécoise, il réduit ce droit à une certaine forme d'autonomie à l'intérieur du Canada. Le Québec a le droit à la séparation, mais celle-ci sera toujours présentée comme « un projet de division de la classe ouvrière ».

Le cheminement du PCO pour accoucher de cette position à la toute veille du référendum n'est pas inintéressant. Lorsqu'il a commencé à s'intéresser à la constitution de son Canada socialiste, il a écrit : « Il y a deux formes d'organisations possibles : la fédération ou bien l'État unique avec l'autonomie régionale pour les nations et minorités nationales » (*Revue Octobre,* nos 2-3). Il donnait l'URSS comme exemple de la première forme et la Chine de Mao comme exemple de la deuxième. Les deux formes étaient, selon le PCO, équivalentes et aussi valables l'une que l'autre.

Pourtant, les deux modèles sont fort différents. La Constitution soviétique de 1947 établissait que l'Union des Républiques socialistes soviétiques était un État fédéral et l'article 17 stipulait que chaque République fédérée avait le droit de sortir librement de l'URSS. Pendant longtemps, les critiques ont prétendu que ce n'était là que pure formalisme mais, lors de l'effondrement de l'URSS, les républiques ont pu effectivement quitter la fédération. Des politicologues renommés comme Hélène Carrère d'Encausse avaient prédit que le choc des nationalités causeraient la fin de l'URSS. Mais il n'en fut rien. L'effondrement est survenu à la suite de problèmes économiques comme l'a noté l'historien Éric Hobsbawm. De plus, le système des républiques soviétiques dans lequel les frontières avaient été établies sur la base des nationalités a permis et permet toujours, encore aujourd'hui, le maintien de bonnes relations entre la plupart des ex-républiques soviétiques malgré les tentatives états-uniennes de les jouer les unes contre les autres, comme le démontre bien Emmanuel Todd dans *Après l'empire*.

Nos marxistes-léninistes du PCO ont porté peu d'attention au modèle soviétique. Leur modèle était évidemment la Chine dont l'organisation des relations entre les nations est fort différente de ce qu'elle était en URSS. La Constitution chinoise proclame que la Chine est « une et indivisible » et, bien que la majorité Han ne forme qu'environ la moitié de la population, toutes les autres nationalités sont ramenées au rang de minorités nationales sans droit à la sécession. L'exemple le plus célèbre est, bien entendu, celui du Tibet. La Constitution chinoise a été conçue en opposition au modèle soviétique. Dans les *Dix grands rapports* publié en 1956, Mao écrit qu'« en Union soviétique, le rapport entre la nationalité russe et les minorités est très anormal, cela doit nous servir de leçon ». La leçon a porté et a été assimilée par les théoriciens du PCO qui ont longtemps parlé d'« UN Canada socialiste », d'« un État CANADIEN socialiste » et d'« UNE République socialiste ouvrière au Canada » avant d'accoucher d'UN Canada socialiste qui comprendrait deux républiques.

Quelques mois avant le référendum, le PCO a apporté quelques modifications à sa ligne politique en proposant que les deux républiques, le Canada anglais et le Québec, « devraient être unies sur la base d'une union librement consentie au sein d'un État fédératif, le Canada ». Il ajoutait que « le gouvernement central unifiant les républiques soit élu au suffrage universel et détienne des pouvoirs dans les domaines d'intérêt général pour l'ensemble du pays ». Quelle différence entre son projet et la Confédération canadienne telle qu'elle existait et existe toujours ? C'est à la faveur de son « droit de dépenser », une disposition aussi vague que les « domaines d'intérêt général », que le gouvernement central est intervenu dans les champs de juridiction des provinces en niant leurs compétences constitutionnelles.

Les idées politiques ne sont pas en suspension dans l'air. Elles reflètent des intérêts particuliers et s'arriment nécessairement à des grands courants politiques historiques. Les programmes politiques d'En Lutte et du PCO ne représentaient pas les intérêts des classes exploitées du Québec et avaient peu de choses en commun, mis à part la terminologie, avec les conceptions communistes classiques. Par contre, ils s'inscrivaient tout à fait dans les deux grands courants politiques de l'histoire canadienne. Le premier de ces courants, représenté par le Parti libéral du Canada, se caractérise par le libéralisme politique, la défense des libertés individuelles, et s'est développé en opposition au nationalisme québécois. Ses deux principaux ténors ont été Sir Wilfrid Laurier et Pierre Elliott Trudeau. L'autre grand courant est basé sur une alliance entre les conservateurs et les nationalistes québécois. Il fait la promotion du nationalisme québécois, mais dans le cadre du régime fédéral. Deux de ses plus illustres représentants au Québec ont été Maurice Duplessis et, bien avant lui, Henri Bourassa.

Sir Wilfrid Laurier a été promu à la tête du Parti libéral du Canada avec pour mission de contrer la ferveur nationaliste qui s'était développée au Québec sous le gouvernement d'Honoré Mercier après la pendaison de Louis Riel. Laurier implorait ses concitoyens du Québec de passer l'éponge sur l'affaire Riel et d'entrevoir leur avenir au sein d'un Canada où ils auraient des droits égaux à ceux des Canadiens-anglais. « Nous sommes Canadiens-français, disait-il, mais notre patrie n'est pas confinée au territoire ombragé de la Citadelle de Québec. Notre patrie, c'est le Canada. Ce que je réclame pour nous, c'est une part égale de soleil, de justice et de liberté. Justice égale, droits égaux. »

Une mission semblable fut dévolue à Pierre Elliott Trudeau à la fin des années 1960 : contrer le développement du mouvement souverainiste avec la promesse d'une « société juste » et l'égalité linguistique des deux peuples fondateurs. Dans le *Manifeste démocratique* qu'il publie en 1958, Trudeau retrace l'origine de la question nationale québécoise dans le fait que la révolution démocratique amorcée par Papineau, puis Laurier, s'était embourbée « dans les querelles nationalistes et les intérêts de la bourgeoisie ». Puis Trudeau pose la question suivante : « Au Québec, serait-ce trop nous abaisser que d'achever d'abord la révolution démocratique ? », et il y répond par ces mots : « La révolution démocratique est la seule nécessaire, tout le reste en découle. » Une fois au pouvoir, Trudeau entreprend de terminer la « révolution démocratique » avec sa loi sur le bilinguisme et le biculturalisme qu'il complétera, après le référendum, avec le rapatriement unilatéral de la constitution et l'Acte constitutionnel de 1982.

Le groupe En Lutte et Charles Gagnon partagent l'avis de Trudeau que « la révolution démocratique s'est embourbée dans les querelles nationalistes et les intérêts de la bourgeoisie » et qu'elle est incomplète. Après tout, que fait Gagnon sinon reprendre à sa façon, enrobé dans le discours marxisant de l'époque, le cri de ralliement de Trudeau : « Démocratie d'abord », lorsqu'il écrit : « Notre organisation préconise l'instauration au Canada d'un véritable régime d'égalité des langues et des nations, d'une véritable démocratie nationale ».

L'approche constitutionnelle fera long feu et marquera de façon indélébile la gauche québécoise, souvent à son insu. L'adoption de la Charte des droits fédérale, incluse dans la Constitution de 1982, aura un impact considérable. La Charte des droits deviendra la référence suprême pour la société. Une bonne partie de la gauche marxiste, disparue après le référendum de 1980, renaîtra sous la forme d'une gauche « chartiste ». La référence à la Charte des droits, peu importe sa version, sera la clef de voûte des programmes politiques du Rassemblement pour une alternative politique (RAP) et de l'Union des forces progressistes (UFP). La Charte imposera le triomphe de l'individu sur le collectif, entérinera la disparition de toute référence à l'oppression nationale et de classe et son remplacement par les droits de différents sous-groupes sociaux. L'échec du référendum de 1995 amplifiera le mouvement de ferveur à l'égard des Chartes des droits qui atteindra même les rangs des intellectuels souverainistes. Prenant prétexte des propos de Jacques Parizeau sur les « votes ethniques », une école intellectuelle souverainiste s'emploiera à bannir toute référence « ethnique » dans la définition du nouveau nationalisme québécois. Le nationalisme dit « ethnique » est remplacé par le nationalisme civique. La question de l'oppression nationale disparaît. C'est autour de la Charte des droits que s'articule ce nouveau nationalisme. Ce n'est pas là le moindre des triomphes de Pierre Elliott Trudeau et la contribution de Charles Gagnon à cette victoire n'est pas négligeable.

Quant au programme politique de l'autre organisation maoïste, la Ligue, devenue PCO en 1979, il a beaucoup en commun avec le programme d'une autre Ligue, la Ligue nationaliste canadienne qui fut créée par Henri Bourassa en 1903. La Ligue de Bourassa proposait un programme en trois points. Le premier concernait les relations entre le Canada et la Grande-Bretagne. La Ligue réclamait « la plus large mesure d'autonomie politique, commerciale et militaire avec le maintien du lien colonial ». Le Canada n'était pas, bien entendu, à cette époque une colonie de la Grande-Bretagne, mais une puissance impérialiste de plein droit, malgré les liens de dépendance politique avec l'Angleterre. Ce que revendiquait donc Henri Bourassa, c'était une plus grande « indépendance » de l'impérialisme canadien face à l'impérialisme britannique, tout en demeurant dans le bloc impérialiste dirigé par cette « superpuissance » de l'époque. En 1980, la Ligue maoïste réclame elle aussi « la plus large mesure d'autonomie » de l'impérialisme canadien, face cette fois à l'impérialisme américain, mais une « autonomie compatible avec le maintien » du Canada dans le bloc impérialiste dirigé par les États-Unis.

Sur le plan des relations fédérale-provinciales, les deux Ligues véhiculent encore une fois la même position. Bourassa réclamait pour le Québec « la plus large mesure d'autonomie compatible avec le maintien du lien fédéral ». C'est très exactement le programme constitutionnel du PCO qui prône pour le Québec « la plus large mesure d'autonomie (régionale) compatible avec le maintien du lien fédéral », comme nous l'avons vu précédemment. Le PCO reprend, en fait, sous la forme de sa revendication de deux Républiques égales, le Canada-anglais et le Québec, dans le cadre d'un seul État fédéral, la thèse d'Henri Bourassa sur l'égalité des « deux peuples fondateurs ». Pour Bourassa, comme pour le PCO, ce programme visait à « développer un canadianisme plus général et diminuer l'antagonisme à l'égard du Canada-français ».

Enfin, et c'était là le troisième volet du programme de la Ligue nationaliste canadienne, on prônait la mise en place d'« une politique de développement économique et intellectuel exclusivement canadien » que Bourassa expliquait ainsi : « Je veux qu'on garde pour le peuple les richesses du peuple. » Nul doute que si Bourassa avait vécu au début des années 1980, il se serait joint au PCO pour s'opposer au démantèlement de Pétro-Canada. Quatre-vingts ans avant la création du PCO, Bourassa avait déjà formulé l'essentiel de ce qui allait constituer son programme. La seule différence, c'est que Bourassa, en 1903, ne voyait pas la nécessité de dire que cela constituait un programme « communiste ». Mentionnons au passage que la filiation entre Bourassa et la Ligue n'était pas qu'idéologique. L'arrière petite-fille d'Henri Bourassa siégeait au Comité central du PCO.

Le PCO partage aussi avec Bourassa la promotion d'un certain nationalisme au Québec.

Contrairement à En Lutte, le PCO reconnaît différentes manifestations économiques, culturelles et linguistiques de l'oppression nationale et met de l'avant des revendications qui y sont associées, sauf bien entendu l'accession du Québec à l'indépendance. Il est amusant de noter comment la Ligue a jumelé son nationalisme québécois avec sa défense du fédéralisme. La manchette de *La Forge* du 24 juin 1978 est la suivante: « À l'occasion du 24 juin et du 1er juillet : Fêtons notre lutte contre l'oppression nationale. Combattons pour un Canada socialiste. »

Le nationalisme québécois de la Ligue pouvait à l'occasion être très étroit. Le PCO est allé jusqu'à affirmer que « le référendum doit consulter seulement les membres de la nation dominée, c'est-à-dire les Québécois francophones » (*La Forge*, 2 :5). Plus tard, il est revenu sur la question, non à la faveur d'une autocritique, mais d'un « rectificatif ». « Cependant, ceci ne veut pas dire que nous devons refuser le droit de participer au référendum aux minorités. Ceci serait une erreur tactique que même le PQ ne commet pas » (Rectificatif dans la question nationale – Document interne).

Le rêve pan-canadien de Bourassa fut de courte durée. Il s'écroula avec la crise de la conscription de 1917. Avant la guerre, Bourassa avait conclu une alliance avec les conservateurs de Borden pour déloger Laurier du pouvoir. Une fois Borden au pouvoir, Bourassa tenta d'utiliser les sentiments anti-impérialistes qui se manifestaient au sein de la population québécoise pour négocier un appui à la conscription en échange du retrait du Règlement 17 en Ontario qui niait les droits du français. Mais Borden refusa et, avec la crise de la conscription, se terminait la carrière politique de Bourassa.

L'alliance entre les conservateurs canadiens-anglais et les nationalistes québécois a connu quelques autres épisodes. En 1959, le Parti progressiste-conservateur de John Diefenbaker a pris le pouvoir à la faveur d'une entente avec l'Union nationale de Maurice Duplessis. Vingt ans plus tard, le conservateur Joe Clark bénéficiait de l'appui du gouvernement Lévesque par créditistes interposés. Finalement, l'exemple le plus récent est la victoire de Brian Mulroney en 1984 à la faveur de la politique du « beau risque » de René Lévesque. Le gouvernement Mulroney propose alors une ultime solution à la question nationale québécoise avec l'entente du Lac Meech. Le concept de « société distincte » élaboré à cette occasion pour satisfaire les revendications québécoises ressemble beaucoup à ce que Jean-François Lisée nous dit dans *L'œil de l'aigle* être la solution états-unienne à la crise politique canadienne : « Une formule que le Québec pourrait appeler la souveraineté et que le reste du Canada pourrait appeler la Confédération. » Mais les libéraux fédéraux font échouer l'entente du Lac Meech et Lucien Bouchard claque la porte du Parti progressiste-conservateur pour fonder le Bloc québécois. Pour asseoir le nouveau parti sur une base plus large, Bouchard entretient des relations étroites avec la CSN et un certain nombre de militants de la CSN font le saut avec le Bloc. Serait-on surpris d'apprendre que bon nombre d'entre eux sont d'anciens militants du PCO, dont le plus illustre est nul autre que Gilles Duceppe, l'actuel chef du Bloc québécois ?

□

La défaite du *Oui* au référendum de 1980 et les conséquences désastreuses pour le Québec qui s'ensuivirent avec le coup de force constitutionnel de Trudeau eurent un effet de choc chez plusieurs militantes et militants maoïstes qui réalisèrent l'ampleur de leur erreur politique des dix années précédentes. Bien entendu, avec un écart de 20 % entre le *Oui* et le *Non,* leurs votes annulés transformés en votes pour le *Oui* n'auraient pas fait une différence significative. Mais une évaluation moins ponctuelle et plus large est possible et nécessaire.

Que se serait-il produit si les 5 000 à 7 000 membres et sympathisants d'En Lutte et du PCO avaient milité pour le *Oui* plutôt que pour le *Non* ? Quel aurait été l'impact de l'action de ces militants prêts à se donner sans compter si, au lieu de s'employer à paralyser la CSN et d'autres organisations syndicales, ils avaient œuvré au cœur même du mouvement syndical pour faire en sorte que les travailleurs et les travailleuses disputent le leadership de la campagne référendaire au Parti québécois qui l'en-

fermait dans le cadre d'un nationalisme é-
troit ? On peut facilement supposer que l'afflux
de ces forces militantes aurait permis au camp
du *Oui* d'obtenir au moins une majorité dans la
population francophone. Il est aussi envisageable de croire qu'une campagne référendaire
menée de façon plus combative, une campagne
qui aurait mis de l'avant une série de revendications à portée sociale, aurait permis une per-
cée chez les travailleurs et travailleuses allophones. La victoire du *Non* n'était pas inéluctable. Rappelons que, un mois avant le scrutin,
les sondages donnaient le *Oui* gagnant et que,
dans les mois qui ont précédé, jusqu'à 20 %
d'allophones déclaraient envisager de voter
Oui.

Enfin, considérons un instant ce qu'aurait
pu être la donne politique en 1980, si la gauche avait fait sienne l'analyse de Pierre
Vallières dans *L'Urgence de choisir*, si elle avait
investi le Parti québécois et chercher à y entraîner le monde ouvrier. La base sociale populaire
et ouvrière du Parti québécois en aurait été
consolidée. La gauche aurait pu contrer l'étapisme de Claude Morin et ses manœuvres pour
diluer le discours nationaliste. La gauche radicale aurait pu faire alliance avec la gauche
péquiste traditionnelle, avec les Robert Burns,
Denis Lazure, Gilbert Paquette, Lise Payette et
autres. Au fil des débats, des tournants de la
lutte, elle aurait acquis expérience et maturité
politiques. En fait, nous aurions eu droit à une
véritable lutte de libération nationale et d'é-

mancipation sociale. Une victoire du *Oui* était possible ou, dans l'éventualité d'une défaite, la gauche aurait pu contester le leadership de Lévesque et de Morin et s'emparer de la direction du mouvement de libération.

Les résultats du référendum knockoutèrent la gauche, l'envoyèrent au tapis et, trente ans plus tard, elle ne s'est toujours pas relevée. Malheureusement, on ne peut pas réécrire l'Histoire. Cependant, nous pouvons nous demander comment le mouvement de lutte pour la libération nationale contre la bourgeoisie canadienne et l'impérialisme états-unien des années 1960 a-t-il pu être transformé en un mouvement pro-américain militant activement contre l'indépendance du Québec ?

Plusieurs ont pointé du doigt l'infiltration policière et ce facteur ne peut être écarté du revers de la main. Rappelons-nous le témoignage du surintendant principal Cobb de la GRC devant la Commission Keable. Il reconnaissait que la GRC avait émis de faux communiqués du FLQ pour dénoncer la position prise par Vallières dans *L'Urgence de choisir* afin d'inciter les membres du FLQ à se joindre au groupe animé par Charles Gagnon plutôt qu'au Parti québécois. Son expérience le conduisait à estimer que le groupe de Gagnon serait plus facile à surveiller que le Parti québécois.

La même Commission Keable a révélé qu'En Lutte était infiltré au plus haut niveau et a même rendu public le nom d'un agent des services secrets en son sein : François « Friz »

Séguin. Ce dernier aurait même été responsable de la sécurité dans l'organisation En Lutte ! La Commission a aussi montré comment les services secrets s'étaient servis comme d'un jouet d'un autre dirigeant d'En Lutte, Robert Comeau. Pendant des mois, En Lutte et Robert Comeau ont nié toute infiltration, avant de reconnaître plus tard les faits. Quel fut le rôle de l'infiltration policière dans les activités et les orientations politiques d'En Lutte et du PCO? Seuls les anciens responsables de ces organisations pourraient aujourd'hui jeter l'éclairage approprié.

Cependant, bien que leur impact ait pu être considérable, les manipulations policières n'expliquent pas tout. Il faut poser la question : comment de 5 000 à 7 000 personnes ont pu ainsi être manipulées ? Pour y répondre, il faut prendre en considération ce qu'était la base sociale de ces organisations. Leur pénétration dans la classe ouvrière est toujours demeurée extrêmement faible, ce qu'elles ont reconnu publiquement peu avant leurs dissolutions respectives au début des années 1980. Leur composition était essentiellement petite-bourgeoisie. C'est surtout auprès des étudiants et des jeunes militant actifs dans les organisations populaires financées par les programmes Perspectives-Jeunesse et les Projets d'Initiatives locales du gouvernement fédéral que leurs campagnes de recrutement connurent un vif succès. Ces militants qui croyaient « utiliser le système pour détruire le système » auraient dû savoir, en bons marxistes qu'ils prétendaient être, que « l'être social détermine la conscience sociale ». Le fait d'être rémunéré par le gouvernement fédéral les prédisposait à combattre le nationalisme québécois et à soutenir – bien entendu sous une forme « révolutionnaire » – le fédéralisme canadien. Était donc pris qui croyait prendre ! Peut-être que Trudeau avait une meilleure connaissance de l'abc du marxisme que bon nombre de militants marxistes-léninistes.

La situation particulière du Québec n'explique pas tout. Le mouvement maoïste était un mouvement mondial de la jeunesse. Pour la première fois de l'Histoire, une nouvelle génération arrivait à l'âge adulte instruite et avec une certaine indépendance financière, mais dans un contexte social où les perspectives d'emploi étaient limitées. Au Québec, le phénomène était accentué par les transformations économiques et sociales découlant de la Révolution tranquille, c'est-à-dire la modernisation d'une société dont les superstructures retardaient énormément sur le développement économique. Le blocage n'était pas uniquement social, mais aussi national par suite de la domination du Canada anglais sur le Québec.

Au nombre de tous les paradoxes de cette époque, le moindre n'est certainement pas que cette jeunesse ait transposé la ferveur religieuse catholique dans laquelle elle avait baigné au cours de son enfance dans des organisations se proclamant « communistes ». Il fut relative-

ment facile de convaincre des jeunes, qui s'é-
taient levé tous les matins pour assister à la
messe lorsqu'ils étaient enfants, de se pointer
à l'aube aux portes des usines pour distribuer
leur littérature maoïste. Que les ouvriers ne
répondent pas plus à leurs invocations que
Dieu jadis à leurs prières ne suffisait évidemment pas à compromettre leur foi. Élevés dans
le respect de l'autorité et éduqués dans l'esprit
du catéchisme, ces jeunes des années 1980
pouvaient facilement se satisfaire du *Petit livre
rouge* de Mao, des arguments simplistes de la
Ligue ou des élucubrations alambiquées de
Charles Gagnon. La religion catholique a toujours fait obstacle avec beaucoup de succès à la
pénétration des idées communistes au Québec.
Malgré des apparences contraires, ce fut encore vrai au cours des années 1970. Les militantes et les militants ont peut-être acheté
quelques classiques du communisme – vite
revendus aux librairies d'occasion – mais ne les
ont pas étudiés. Il faut dire que leurs organisations ne leur en laissaient pas le loisir. Les
groupes maoïstes fonctionnaient comme des
sectes religieuses où la méthode éprouvée de
conserver l'autorité sur les fidèles est de les
occuper jour et nuit à différentes tâches pour
les empêcher de questionner les objectifs du
groupe. Faisons confiance à nos chefs, se disent
les disciples sans prendre le temps de savoir où
leurs chefs les conduisent.

Les dirigeants de ces mouvements doivent
porter une large part de la responsabilité de ce

fiasco politique. Le parcours politique de Charles Gagnon est particulièrement éclairant à cet égard. Quelques mois avant la dissolution du groupe En Lutte – alors gangrené par l'échec référendaire, la faillite du mouvement maoïste international et ses propres contradictions internes, particulièrement sur la question des femmes –, Gagnon répudie le marxisme et renoue avec ses idées de 1968 alors qu'il écrivait que la Révolution d'octobre avait été une révolution bourgeoise. Pendant une décennie, Charles Gagnon s'est proclamé « marxiste-léniniste », mais tout cela, avoue-t-il, n'était que tactique dans sa recherche d'hégémonie sur l'ensemble de la gauche.

Près de quinze ans après la dissolution du groupe En Lutte, Gagnon refait brièvement surface à la faveur des ses « retrouvailles » avec Pierre Vallières dans le film de Jean-Daniel Lafond, *La liberté en colère,* un film insignifiant – parce qu'il ne tire aucun sens des événements passés qu'il commente. Au cours de cette période, soit peu avant le référendum de 1995, Gagnon publie un essai, *Le référendum, un syndrome québécois.*

Dans cet essai, Charles Gagnon revient sur la période des années 1960 et 1970 comme un voleur sur les lieux du crime pour effacer ses traces. Il minimise l'impact de l'action des marxistes-léninistes sur le résultat référendaire en disant que les « remords » de ceux qui ont éprouvé « un profond malaise » pour avoir été accusé de faire « le jeu des fédéralistes en préconisant l'abstention » lui « semblent assez vains, car il s'avère que l'appel des marxistes-léninistes en faveur de l'annulation n'a pas joué un rôle déterminant pour l'issue du vote ».

Il loue ensuite le Parti québécois dont « le bilan du premier mandat au pouvoir n'est pas négatif, loin de là » et reconnaît que le projet indépendantiste a, de 1960 à 1980, « signifié la perspective d'une société nouvelle ». Mais ces propos ne sont là que pour amadouer le lecteur avant de lui servir à nouveau la même camelote que dans les années 1970, à la sauce cette fois du néolibéralisme.

À l'époque de la mondialisation où l'État-nation se dresse comme un obstacle à abattre pour les grandes corporations, Gagnon nous dit que « le discours sur l'État-nation n'est plus en phase avec ces formes de conscience en devenir que sont la communauté humaine à un extrême et la communauté locale à l'autre, formes de conscience qui ont tendance, dans la vie courante, à réduire progressivement la place de la conscience nationale ». Ce n'est là que la reprise sous une forme différente de sa célèbre affirmation : « Et si alors le mouvement de l'histoire en venait à assimiler l'une ou l'autre nation, l'une ou l'autre minorité nationale, cela ne correspondrait nullement à une oppression nationale, mais bien à la tendance objective du développement économique à dissoudre les frontières nationales en tissant à l'échelle mondiale un réseau de relations économiques, sociales et culturelles de plus en plus serré. »

Longtemps, on a cru que Charles Gagnon était un internationaliste; c'était plutôt un mondialiste.

Au début des années 1980, Gagnon affirmait que l'oppression nationale du peuple québécois avait à toutes fins pratiques disparue. En 1995, c'est l'existence même de la nation québécoise qu'il remet en question à cause des modifications démographiques et la présence des communautés culturelles.

Évidemment, dans ces circonstances, le mouvement national ne recèle plus aucune potentialité. Dans son retour historique sur les années 1960 et 1970, Gagnon identifie trois courants au mouvement nationaliste : le courant traditionnel, le courant social identifié au mouvement ouvrier et le courant culturel du mouvement de la jeunesse. Finalement, pour Gagnon, le courant vraiment important fut non pas le mouvement ouvrier, mais celui de la jeunesse. Aussi, affirme-t-il qu'en 1995, « privé du dynamisme que lui a procuré la " révolution culturelle " occidentale des années 1965 à 1975, elle-même articulée à la " révolution tranquille " de l'après-guerre, le nationalisme québécois n'est plus un mouvement social avec lequel il faudrait compter ».

Alors, l'indépendance nationale le laisse froid et il admet qu'il lui « arrive de penser que le Canada pourrait fournir, au plan politique, donc constitutionnel, un modèle d'accommodement de cultures diverses et de régions aux intérêts différents à certains égards ». Il se prononce contre la tenue du référendum de 1995 parce que sa défaite, qu'il considère probable, serait la pire des choses pour la « réforme éventuelle de l'ordre politique canadien ».

La chose admirable avec *Le référendum, un syndrome québécois,* c'est qu'il nous livre la pensée véritable de Charles Gagnon sans le fla-fla habituel de la terminologie marxiste-léniniste. Fondamentalement, Gagnon a toujours été contre l'indépendance du Québec qu'il voyait comme réactionnaire ou même fasciste, et il a toujours considéré que la solution résidait dans une réforme constitutionnelle de « l'ordre politique canadien ». En fait, il n'a jamais rompu avec la pensée de la revue *Cité libre* et de son mentor Pierre Elliott Trudeau.

Chapitre 5

Claude Morin
et le Parti québécois

1972 est une année charnière dans l'histoire politique du Québec. Au début de l'année, Pierre Vallières publie *L'Urgence de choisir* dans lequel il rompt avec le felquisme et invite la gauche à rallier les rangs du Parti québécois qu'il présente comme l'instrument de la libération nationale et sociale du peuple québécois. Quelques mois plus tard, son ancien compagnon d'armes, Charles Gagnon, lui donne la réplique dans *Pour le parti prolétarien,* un pamphlet qui sera considéré comme l'acte de naissance du mouvement maoïste marxiste-léniniste. Au mois de mai de la même année, un autre événement allait avoir des répercussions colossales sur le Parti québécois et la politique québécoise : Claude Morin signe officiellement sa carte de membre du Parti québécois.

Un des premiers diplômés en sciences économiques de l'Université Laval, diplômé également de l'Université Colombia de New York, Claude Morin était un des mandarins de la fonction publique québécoise. Rédacteur des discours de Jean Lesage au début des années 1960, il adhère à la fonction publique en 1963 où il est responsable des relations fédérales-provinciales, de même que des relations internationales du Québec, sous les gouvernements de Jean Lesage, Daniel Johnson, Jean-Jacques Bertrand et Robert Bourassa. À ce titre, il est responsable de l'élaboration des stratégies du gouvernement du Québec dans ses négociations avec Ottawa. Dénoncé publiquement par Pierre Elliott Trudeau comme « séparatiste » en

1969, il démissionne le 1er octobre 1971 pour retourner à l'enseignement à l'École nationale d'administration publique.

Vingt ans après l'adhésion de Morin au Parti québécois, le journaliste Normand Lester de Radio-Canada révèle, le 7 mai 1992, qu'il est un agent rémunéré des services secrets canadiens connu sous les noms de code Q-1 et French Minuet. Aussitôt, Claude Morin reconnaît avoir eu des contacts dès 1951, alors qu'il était étudiant, avec l'officier Raymond Parent du bureau de la Gendarmerie royale du Canada (GRC) à Québec. Il admet avoir rencontré à nouveau Raymond Parent, à la demande du premier ministre Jean Lesage, au printemps de 1966, puis en 1967 et 1969. Plus tard, à l'été 1974, il rencontre, alors qu'il est membre de l'exécutif national du Parti québécois, l'agent Léo Fontaine à au moins 29 reprises. Claude Morin accepte d'être rémunéré. Il touche de 500 dollars à 800 dollars par rencontre. Puis, en 1977, le Parti québécois au pouvoir, il poursuit ses contacts avec la GRC. Son nouveau contrôleur est Jean-Louis Gagnon qui deviendra directeur adjoint du Service canadien de renseignement et de sécurité (SCRS) qui succède au Service de sécurité de la GRC (SS/GRC) en 1984. Léo Fontaine sera son directeur adjoint. Quant à Raymond Parent, il est une figure légendaire du SS/GRC, un maître-espion dur, intelligent, cultivé, selon Normand Lester.

Claude Morin a justifié sa démarche en disant qu'il voulait savoir ce que les services secrets tramaient contre l'État québécois et, plus tard, contre le Parti québécois. Il affirme que les services secrets étaient préoccupés par l'infiltration étrangère, surtout française, dans les affaires intérieures du Canada. Selon son premier contrôleur, Raymond Parent, les services secrets canadiens et états-uniens étaient convaincus que l'Union soviétique avait infiltré les hautes sphères politiques françaises et était en partie responsable de la politique anti-américaine du Général de Gaulle.

Mais le journaliste Normand Lester écrit que, contrairement à ce qu'affirme Claude Morin, Raymond Parent n'a jamais fait partie du contre-espionnage, mais qu'il est plutôt un spécialiste de la lutte contre « la subversion communiste et séparatiste », qu'il est un homme de la section antisubversive.

Des documents rendus publics ont dévoilé que Raymond Parent était un des signataires de la note secrète autorisant le vol par effraction des listes de membres du Parti québécois le 9 janvier 1973. Cette opération policière de grande envergure, connue sous le nom d'Opération HAM, témoigne de la panique qui s'était emparée du gouvernement fédéral face à la situation politique au Québec dans le contexte de la montée du mouvement souverainiste et des grandes grèves de *La Presse* en 1971 et du Front commun de 1972, suivis des grèves illégales à la grandeur de la province à la suite de l'emprisonnement des trois chefs syndicaux québécois Louis Laberge, Marcel Pepin et Yvon Charbonneau.

L'Opération Ham découlait d'un télex daté du 19 septembre 1972 du solliciteur-général Jean-Pierre Goyer qui réclamait d'urgence à la section G de la GRC, responsable de l'espionnage politique au Québec, une liste de tous les souverainistes reconnus ou supposés à l'emploi du fédéral, avec leur adresse, le service auquel ils étaient attachés et leur numéro de dossier, pour mieux les dépister.

Un document interne de la GRC précisait très clairement le véritable objectif du vol de la liste des membres : « La valeur d'une telle opération est grande car elle fournira à la Force des renseignements sur les sujets fichés dans notre dossier D928 ainsi que des statistiques sur le degré d'infiltration séparatiste dans nos secteurs clés, l'éducation, la police et les forces armées, ainsi que les gouvernements provincial et fédéral. » Officiellement, le dossier D928 ne concernait pas le Parti québécois, mais visait des personnes jugées extrémistes ou terroristes. En réalité s'y trouvaient aussi des noms de péquistes sans liens avec le terrorisme.

La commission d'enquête présidée par Jean Keable a tenté de faire la lumière sur cette affaire mais a dû faire face à un véritable barrage d'opposition de la part du gouvernement fédéral. La commission fédérale du juge McDonald avait les moyens de pousser l'enquête très loin. Mais le chapitre 10, consacré à l'opération HAM, a été laissé en blanc sous prétexte que les poursuites engagées contre les policiers impliqués auraient pu en être affectées. Plus tard, ces policiers seront acquittés, le tribunal ayant estimé les « délais raisonnables » dépassés.

Rappelons que la Commission McDonald a été créée par le gouvernement fédéral pour enquêter sur les services secrets canadiens après que le gouvernement du Parti québécois eût mis sur pied la Commission Keable pour faire la lumière sur les opérations policières en territoire québécois. Un coin du voile sur ces opérations avait été levé par l'agent Robert Samson en 1974. Arrêté après qu'une bombe, dont il s'apprêtait à activer le mécanisme, lui ait sauté en pleine face derrière la maison du président de Steinberg à Ville Mont-Royal, l'agent Samson avait déclaré : « J'ai fait pire pour la Force », en spécifiant qu'il avait participé à plusieurs actions illégales de la GRC. Lors de l'attentat de Ville Mont-Royal, l'agent Samson agissait pour le compte de la pègre afin d'arrondir ses fins de mois.

Dans son témoignage devant la Commission McDonald, le chef des services secrets canadiens, John Starnes, dira que l'espionnage politique du mouvement nationaliste émanait d'une requête du Cabinet Trudeau datant du 19 décembre 1969. Lors de cette rencontre à laquelle participait le premier ministre Trudeau, il fut demandé à la GRC de fournir un rapport détaillé sur la situation du mouvement

séparatiste au Québec : structures, membership, contacts, stratégies, influences extérieu-
res, etc.

Par la suite, plusieurs locaux syndicaux et
du Parti québécois furent mis sous écoute. En
1972 seulement, la GRC a effectué 42 installations majeures et 42 mineures de tables d'é-
coute. De 1971 à 1978, les policiers ont posé
580 dispositifs d'écoute. La Commission
McDonald nous a appris que le 27 novembre
1970, au cours de la réunion d'un comité de
sous-ministres présidée par Gordon Robertson,
bras droit du premier ministre Trudeau, le
commissaire Higgit et son collègue Starnes
avaient laissé tomber que la GRC effectuait des
entrées clandestines pour installer des systèmes d'écoute.

Normand Lester rapporte même dans son
livre *Enquête sur les services secrets* que « des
militaires, des anciens du SS/GRC ou du SCRS
m'ont affirmé à plusieurs reprises que, depuis
les années 1970, le Centre de la sécurité des
télécommunications espionne le gouvernement du Québec, à partir de postes d'écoute à
la Citadelle de Québec ou au Manège militaire,
juste derrière le bunker où se trouvent les
bureaux du premier ministre et ceux du Conseil exécutif. »

En plus des services de renseignements de
la GRC et de l'armée, des services parallèles de
renseignement, reliés directement au bureau
du premier ministre Trudeau et dont étaient
responsables Marc Lalonde et Gordon Robert-

son, ont été créés. Ce fut d'abord le Strategic Operations Center (SOC) qui, dans son rapport final sur la Crise d'octobre 1970, concluait qu'il fallait passer à l'offensive contre le Parti québécois et proposait une stratégie pour le mettre en échec. L'enquêteur du gouvernement québécois, Jean-François Duchaîne, dira, sept ans plus tard, que ce rapport allait donner à la GRC le feu vert pour commettre des actes illégaux à l'endroit du Parti québécois. Le postulat du SOC reposait sur la certitude que « les séparatistes et les révolutionnaires » s'étaient infiltrés partout, dans les postes clés du gouvernement, les médias, les syndicats, les universités et les établissements d'enseignement.

Au début de 1971, le SOC est remplacé par le Groupe Vidal. Formé uniquement de francophones et supervisé par Marc Lalonde, le Groupe tenait son nom de Claude Vidal, animateur social issu du milieu des Beaux-Arts qui avait nettoyé la Compagnie des Jeunes canadiens de ses éléments considérés subversifs à la fin des années 1970. Le Groupe Vidal refilait ses informations à la GRC, mais celle-ci était réticente à collaborer avec ce groupe « indépendant » relevant directement du cabinet Trudeau.

Les activités antisubversives du gouvernement, de la GRC et de l'armée ne se limitaient pas à de l'écoute électronique et au vol des listes de membres du Parti québécois. Le 18 septembre 1972, René Lévesque fait une déclaration fracassante en conférence de presse : « L'armée canadienne se comporte au Québec comme en territoire envahi et occupé. » Il rend alors public un rapport portant la mention Secret – *Canadian Eyes Only* – préparé par la Force mobile de l'armée canadienne établie à Saint-Hubert. Le rapport est une analyse des positions de la CSN et de l'appui que la centrale apporte à différents regroupements communistes et séparatistes. Le document présente un portrait des dix-sept dirigeants de la centrale. Trois jours plus tard, le Parti québécois révèle un document similaire qui porte cette fois sur la Centrale des syndicats démocratiques (CSD).

Mais il y avait encore plus sérieux. Les 18 et 19 avril 1972, une brochette de hauts gradés militaires venant de l'ensemble du Canada participent à une réunion secrète à l'Hôtel Laurentien à Montréal. Ils sont une soixantaine, dont huit généraux, quatorze colonels et vingt-quatre lieutenants-colonels. Le document secret *Mobile Command Headquarters – Internal Security Group – Exercice Neat Pitch* leur est distribué. *Neat Pitch* est un plan d'invasion et d'occupation du Québec en cas d'insurrection. Au cours de cette réunion, deux militaires britanniques de haut rang leur font un exposé sur leur expérience en Irlande du Nord. Dans le document *Tactical Operations in Northern Ireland* distribué aux militaires canadiens, on prône une intervention rapide et massive, en cas de désordres sociaux, avec de l'équipement lourd et l'utilisation de balles de caoutchouc pour venir à bout des manifestants. Ces informations, nous apprend Pierre Duchesne dans sa biographie de Jacques Parizeau, ont été coulées au modeste réseau de renseignements mis sur pied par Jacques Parizeau au début des années 1970, par le capitaine Jean-René-Marcel Sauvé, le seul officier francophone présent.

René Lévesque refusera de rendre public le plan *Neat Pitch* et ce n'est que deux ans plus tard, sur l'initiative de Jacques Parizeau, que le journal *Le Jour* révélera toute l'affaire. C'est à cette occasion que Léo Fontaine reprend contact avec Claude Morin dans le but d'apprendre l'identité de celui qui avait alimenté *Le Jour* et rendu possible la publication du plan *Neat Pitch*. Fort inquiet que des documents de l'armée aient coulé, l'agent Léo Fontaine demande à son informateur comment, à son avis, le journal a obtenu le document. Morin ne le savait pas.

À cette occasion, Léo Fontaine explique à Claude Morin, selon ce que ce dernier en rapporte dans son autobiographie politique *Les choses comme elles étaient,* que les services de sécurité considèrent le Parti québécois comme le « ventre mou », le « maillon faible » de la sécurité canadienne, « peu protégé, exploitable par des éléments subversifs ». Fontaine poursuit : « Il y a danger d'infiltration. Le PQ est assez important pour intéresser des gens qui ont leur propre agenda. Des éléments indésirables pourraient chercher à l'influencer sur des questions " sensibles ", la défense nationale par exemple, ou les rapports avec des régimes hostiles. » Léo Fontaine transmet alors à Claude Morin le nom de quelques personnes, « trois ou quatre Français et deux Québécois » dont son service s'inquiète des activités parce qu'ils seraient « en contact occasionnel avec des agents étrangers potentiels, souvent français, mais aussi palestiniens, cubains, algériens, etc. » Claude Morin les connaît et avoue que « leurs prises de position systématiquement radicales m'agaçaient ».

Claude Morin a toujours cherché à restreindre le cadre de sa collaboration avec la GRC aux activités de contre-espionnage. Il jure que « mes convictions et ma loyauté envers le PQ m'empêchaient de raconter quoi que ce soit sur ses stratégies ou sa vie interne à un représentant d'Ottawa ». Mais nous savons que – contrairement à ses prétentions – ses contrôleurs ne relevaient pas des services de contre-espionnage, mais de la lutte antisubversive. Dans la narration qu'il fait de cette rencontre avec Léo Fontaine, il souligne que ce dernier s'enquiert des chances de succès de sa proposition référendaire à la veille du congrès de novembre 1974 du Parti québécois. « Les gauchistes ne feraient pas avorter le projet ? » lui demande Fontaine. « Pour lui, je risquais beaucoup car, encore une fois, il estimait les " gauchistes " fort puissants. M. Fontaine voulut ensuite me mettre au courant, pour ma gouverne personnelle et aussi pour savoir à quoi s'en tenir à leur sujet, des noms de quelques suspects qui, selon lui, étaient CONSCIEMMENT OU NON téléguidés par l'extérieur, dans ce cas, par la France. » Au cours de rencontres subséquentes, Léo Fontaine avait toujours, nous dit Morin, « sa liste de suspects, des Français pour la majorité, quelques Québécois et une poignée de ressortissants d'autres pays. Une dizaine de noms au début, puis avec le temps, une trentaine. »

Était-ce seulement des noms de personnes qui représentaient des risques pour la sécurité nationale, ou ne constituaient-ils pas également des risques pouvant faire avorter la stratégie étapiste de Morin ? C'est ce que suggère l'utilisation de l'expression « consciemment ou non », car on pourrait affirmer, selon cette logique, que tous les membres du Parti québécois étaient « inconsciemment » téléguidés par la France ! Que faisait Claude Morin de ces noms ? Lui étaient-ils utiles pour isoler des opposants à ses projets, lui qui menait la lutte contre la « go-gauche » au sein du Parti québécois ? L'identification de ces personnes par la GRC avait-elle été établie à partir des listes de membres volées dans le cadre de l'Opération HAM ? Pour voir clair dans les manœuvres de Claude Morin et de la GRC, il faut revoir la lutte qui se menait entre différentes fractions et tendances au sein du Parti québécois. Les biographies de René Lévesque par Pierre Godin et de Jacques Parizeau par Pierre Duchesne, publiées récemment, permettent d'en reconstituer le scénario.

◻

L'arrivée de Claude Morin au Parti québécois en mai 1972 était du pain béni pour René Lévesque. Dans les mois précédents, la nouvelle profession de foi de Pierre Vallières et son intention avouée d'adhérer au Parti québécois avait défrayé la manchette et René Lévesque avait grand besoin de recentrer son parti vers la droite.

Quelques semaines auparavant, le 7 avril 1972, le Parti québécois avait rendu public son manifeste *Quand nous serons vraiment maîtres chez nous* et René Lévesque n'hésitait pas à affirmer que les mesures préconisées dans ce document étaient « incompatibles avec l'analyse de la situation faite dans le document de travail de la CSN ». Il faisait référence au manifeste *Ne comptons que sur nos propres moyens* dans lequel on pouvait lire :

« Le socialisme apparaît dans le monde actuel comme la seule véritable alternative. Par socialisme, nous voulons dire que la société possède les moyens de production, que les travailleurs participent directement à la gestion, que l'activité économique est planifiée directement par l'État. »

Soulignons au passage que le débat pouvait à l'occasion être viril à cette époque entre les centrales syndicales et le Parti québécois. Jacques Parizeau, qui est chroniqueur au journal syndical *Québec-Presse,* avait rédigé une chronique pour démolir l'argumentation de ceux qui prônaient une nationalisation complète de l'économie. Dans un geste sans précédent, les militants du Conseil central de la CSN ont alors occupé les bureaux du journal pour empêcher que la chronique du 14 mai 1972 de Parizeau soit publiée.

Déjà, au congrès de février 1971, Lévesque avait eu maille à partir avec la gauche de son parti qui provenait du FRAP, du RIN, des comités de citoyens, des associations étudiantes et du mouvement syndical. On considérait que cette gauche représentait au moins un tiers du membership du Parti québécois. Lévesque recherchait l'affrontement avec la gauche en espérant que, une fois battus, ses militants iraient former leur propre parti. Aussi, dès l'ouverture du congrès, il se démarque de la violence en mettant cartes sur table :

« Le Parti québécois n'est pas, n'a pas été, ne sera jamais une couverture pour ceux qui veulent coucher avec la violence. »

À ce congrès, le leadership de Lévesque est contesté par André Larocque qui recueille 20 % des voix, ce qui est quand même significatif pour un candidat à peu près inconnu. À deux reprises, Lévesque doit mettre sa tête sur le billot pour faire battre ou retirer des propositions. Il fait battre par 541 voix contre 346 une résolution qui exigeait l'abolition du secteur scolaire anglophone après l'indépendance. Puis, hors de lui, criant ses ordres au président d'assemblée, il fait aussi retirer une motion qui réclamait la libération des ex-felquistes Pierre Vallières et Charles Gagnon pris tous deux dans la rafle d'octobre. Cependant, il ne peut empêcher l'élection de Pierre Bourgault à l'exécutif du parti et son discours à la gloire de Hô Chi Minh et de Fidel Castro.

À l'automne 1971, le Parti québécois se déchire sur la participation à la manifestation en faveur des grévistes de *La Presse*. Le vote de l'exécutif était égal et Pierre Marois trancha en faveur de la non-participation à cette manifestation durement réprimée par les forces policières. Le matraquage policier des dirigeants syndicaux radicalisera leur discours. Louis Laberge, le président de la FTQ, parle de « casser le système ».

Au Conseil national du 29 novembre 1971, Lévesque se présente avec un manifeste d'une violence verbale rare qui s'attaque d'abord aux chefs syndicaux Louis Laberge et Marcel Pepin à qui il reproche de s'adonner depuis la manifestation de *La Presse* du 29 octobre à « une espèce d'orgie vengeresse et à un vrai délire de radicalisme verbal ». Il pourfend les agitateurs de son propre parti, les ravalant à « des missionnaires de la table rase qui grenouillent dans les chapelles marginales de la révolution miracle ».

Aussi, quand Pierre Vallières annonce au début de 1972 sa volonté d'adhérer au Parti québécois, Camille Laurin est chargé de lui répondre : « On n'attend rien de Pierre Vallières. Il n'est pas le bienvenu dans notre parti. Si jamais il veut y adhérer, l'exécutif en décidera et il pourrait lui dire non. » Cependant, après que Vallières eût envoyé une lettre à Lévesque dans laquelle il déclarait : « Je tiens à vous assurer que mon intention n'est nullement d'infiltrer le PQ », Lévesque accepte sa demande d'adhésion.

Il est toutefois évident pour René Lévesque qu'il faut recentrer le parti vers la droite et la venue de Claude Morin au mois de mai 1972 ne pouvait mieux tomber. La grande idée de Claude Morin, c'est l'étapisme, c'est-à-dire la nécessité, après la prise du pouvoir, d'un référendum pour accéder à l'indépendance. Au début des années 1970, le programme du Parti québécois prévoit que l'indépendance pourra être déclarée avec l'accession au pouvoir, sans qu'il soit nécessaire de consulter la population par référendum. Le Québec était entré dans la confédération sans référendum, il pouvait en sortir sans référendum. C'était la règle du parlementarisme britannique. Cette perspective plonge le gouvernement fédéral dans une grande frayeur. Une victoire électorale du Parti québécois était synonyme de la fin du Canada et, possiblement, d'une crise révolutionnaire. Il fallait, à tout prix, aux yeux d'Ottawa modifier ce scénario apocalyptique.

Dans son livre *Mes premiers ministres*, Claude Morin explique la genèse de l'idée d'un référendum. « L'idée du référendum, écrit-il, me fut involontairement suggérée en 1969 par trois personnalités renommées de l'establishment politico-technocratique anglophone fédéral (...) : Gordon Robertson, secrétaire du cabinet fédéral et, à ce titre, premier fonctionnaire d'Ottawa, Robert Bryce, ancien sous-ministre fédéral des Finances et éminent mandarin d'Ottawa et Al Johnson, sous-ministre de la Santé nationale et du Bien-être social. »

« Ils me firent chacun, poursuit Claude Morin, l'un après l'autre et même une fois les trois ensemble, des commentaires fort instructifs. Ces échanges se situent parmi les plus démystifiants de toute ma carrière. Je n'étais pas prêt de les oublier.(...) Voilà comment le référendum s'insinua dans nos conversations. (...) Bien que pratiquement jamais utilisée en régime parlementaire britannique, seule une consultation de ce genre serait susceptible, me dirent-ils, d'inciter Ottawa et les provinces à consentir à un nouveau partage des pouvoirs plus avantageux pour le Québec. Pourvu, cependant, que les Québécois s'y fussent montrés très majoritairement favorables et qu'on eût permis l'expression du point de vue fédéral. »

« Que dire alors d'un référendum portant sur la souveraineté plutôt que sur un réaménagement du fédéralisme ? » demanda Morin à ses interlocuteurs. Robertson, Bryce et Johnson lui répondirent qu'ils « étaient convaincus qu'une telle consultation prouverait le rejet, par les Québécois, du séparatisme, mais ils n'hésitèrent pas à reconnaître (aveu fort peu compromettant, en 1969 !) que, mis devant un référendum favorable à l'indépendance, eh bien, Ottawa et les autres provinces devraient s'incliner ».

Le plus extraordinaire dans cette confession est l'aveu que l'idée du référendum vient de fonctionnaires fédéraux. Et pas de n'importe quels fonctionnaires ! Gordon Robertson – nous l'avons vu précédemment – était en 1969 co-responsable avec Marc Lalonde des services de renseignements parallèles mis sur pied par le cabinet Trudeau pour lutter contre le séparatisme ! La stratégie de Morin lui a été dictée par les fédéralistes ! Il est évident que, devant l'éminence inévitable d'une victoire péquiste et de la déclaration unilatérale d'indépendance que cela impliquait, les fédéralistes n'avaient qu'une stratégie : gagner du temps ! C'est exactement l'implication de la stratégie référendaire de l'étapisme. À noter également que la question du référendum est d'abord discutée entre Morin et ses interlocuteurs fédéralistes en fonction – non pas de l'accession du Québec à l'indépendance – mais d'un nouveau partage des pouvoirs dans le cadre de la confédération canadienne. Nous y reviendrons.

Claude Morin s'emploie donc à convaincre René Lévesque de la nécessité du référendum. Il parvient rapidement à ses fins. Le 18 février 1973, à quelques jours du congrès du parti, Lévesque déclare à la télévision de Radio-Canada que l'indépendance se réalisera quelques années seulement après l'élection du

Parti québécois et qu'il y aura un référendum sur la constitution d'un Québec indépendant.

Mais, moins d'une semaine plus tard, au congrès, les militants repoussent cette idée et adoptent la proposition suivante soumise par Gilbert Paquette, au nom de la région de Montréal-Centre qu'il préside: « Étant donné que le Parti québécois préconise clairement l'indépendance du Québec, la souveraineté sera acquise en principe par proclamation de l'Assemblée nationale, sans qu'il soit nécessaire de recourir au référendum. » La résolution s'insère dans le programme du parti en prévision de l'élection. Claude Morin est débiné par les résultats. Il écrit dans *Les choses comme elles étaient* : « J'avoue avoir vécu, au printemps de 1973, une période de doute non sur la souveraineté mais sur le parti lui-même, à certains égards davantage un mouvement qu'une formation politique. » À ce congrès, Gilbert Paquette est élu conseiller au programme, poste stratégique que Lévesque destinait à Morin qui n'en a pas voulu. Mais ce dernier se fait élire à l'exécutif du parti. Pierre Bourgault n'y est plus. Il abandonne la politique pour « gagner sa vie ».

Le Parti québécois se présente donc aux élections d'octobre 1973 avec un programme qui prévoit l'indépendance en cas de victoire. Cependant, le thème dominant de la campagne électorale est le Budget de l'An I, c'est-à-dire le budget de la première année d'un Québec indépendant. Même s'il n'est pas à l'origine de cette idée qu'il désapprouve, Jacques Parizeau se voit confier la tâche de la défendre lors d'un débat public télévisé avec le ministre des Finances libéral Raymond Garneau. La stratégie péquiste est questionnée, parce qu'elle met le parti sur la défensive. Le soir du scrutin, le Parti québécois devient l'Opposition officielle, mais les résultats sont très décevants. Les suffrages recueillis passent de 23 % qu'ils étaient en 1970 à 30 %, mais le nombre de députés de sept à six. Les libéraux de Robert Bourassa raflent 102 sièges.

Devant le Conseil national du parti qui suit les élections, Jacques Parizeau défend sa performance : « Je suis entré au PQ parce que je crois que l'indépendance doit se faire. Mais il faut être réaliste. Le PQ n'est pas rassurant et le sera jamais. Nous faisons peur quand nous parlons de langue, nous faisons peur quand nous parlons de notre place en Amérique du Nord. C'est la fierté qui nous amènera à faire l'indépendance, mais la frousse jouera toujours. Certains auront peur de se faire tuer, comme au Chili ou au Biafra, d'autres de perdre leur culotte. Il faut dégonfler la peur en l'usant. » Et c'est à cela qu'aura servi selon lui le Budget de l'An I. Mais, néanmoins bouc émissaire de la défaite, il remet sa démission de l'exécutif du parti.

Le débat sur le Budget de l'An I occulte un autre débat qui prendra, peu de temps après, beaucoup d'importance. La grande idée de Claude Morin se retrouve dans une publicité –

la carte de rappel envoyée à chaque électeur – concoctée par Guy Joron et qui sera distribuée dans les derniers jours de la campagne électorale. Le texte va carrément à l'encontre du programme du parti puisqu'il se lit comme suit : « Aujourd'hui, je vote pour la seule équipe prête à former un vrai gouvernement. En 1975, par référendum, je déciderai de l'avenir du Québec. Une chose à la fois. Le 29, je vote Parti québécois, je vote pour le vrai ! » L'initiative soulève un tollé auprès des militants. Certains comme Jean Garon à Lévis refusent de distribuer la carte de rappel. Mais le débat sur le cas Parizeau ayant occupé toute la place, le conseil national n'a plus de temps à consacrer à la carte de rappel. Ce n'est que partie remise.

René Lévesque croit que la principale erreur stratégique du Parti québécois lors des élections de 1973 a été d'avoir trop tardé à rassurer l'électorat sur la tenue d'un référendum. D'autres, comme Claude Morin, citeront bientôt l'exemple chilien où l'expérience socialiste de Salvador Allende vient d'être écrasée par le sanglant coup d'État du général Pinochet. Ils rappellent que la victoire d'Allende, avec seulement 35 % des suffrages, n'était pas suffisante pour mettre en application ses réformes, tout comme une victoire péquiste avec moins de 50 % des suffrages ne permettrait pas de proclamer l'indépendance. Sur fond de défaitisme national et international, l'idée du référendum nécessaire fait son chemin.

Deux semaines après la défaite électorale, le 17 novembre 1973, Claude Morin accorde une longue entrevue au journaliste Michel Roy du journal *Le Devoir*. Il déclare qu'il n'est pas séparatiste et qu'il ne parlera plus d'indépendance. Il utilisera plutôt le mot « souveraineté » qui a l'avantage de s'arrimer avec l'étapisme. Dans un premier temps, il s'agirait, selon lui, de ramener à Québec les pouvoirs de la politique sociale, puis ceux du domaine culturel. « La souveraineté culturelle de Robert Bourassa pourrait en ce sens être une première ou bien une deuxième étape. » Il qualifie même d'importante la contribution d'un auteur fédéraliste comme le professeur Gilles Lalande qui affirme que la souveraineté-association est l'une des formes du fédéralisme. C'est avec cette entrevue qu'est née l'expression « étapisme » accolée à la démarche de Morin. À noter que les étapes auxquelles elle fait référence ne sont pas seulement celles d'une élection suivie d'un référendum, mais l'acquisition de la souveraineté par tranches, d'abord « sociale », puis « culturelle », etc. Une idée qui sera reprise plus tard sous la dénomination de « référendums sectoriels ».

Pendant ce temps, René Lévesque poursuit les manœuvres pour tasser la gauche dans son parti. Il impose Jacques-Yvan Morin comme chef de l'opposition en remplacement de Camille Laurin qui a été défait dans son comté. Robert Burns croyait bien que le poste lui revenait, mais il doit se contenter de demeurer leader parlementaire; ses partisans sont outrés. André Larocque raconte à une journaliste que René Lévesque a abusé de son pouvoir. Le caucus étant incapable de trancher, il a exhumé un vieux texte qui autorisait le président du parti, c'est-à-dire lui-même, à voter en cas d'égalité.

Le Parti québécois est démoralisé, écrasé par le résultat des élections. René Lévesque déclare qu'il aimerait retourner au journalisme international. Sachant que Lévesque est dans une situation financière difficile, Paul Desmarais lui offre 100 000 dollars par année pour qu'il devienne correspondant étranger pour le journal *La Presse*. Lévesque hésite, mais refuse finalement. La perspective de voir René Lévesque se retirer inquiète beaucoup Claude Morin.

C'est quand même le journalisme qui viendra ragaillardir le Parti québécois et son chef. Yves Michaud convainc Lévesque et Parizeau de lancer un quotidien souverainiste et social-démocrate. Ce sera l'aventure du journal *Le Jour*, dont le premier numéro paraîtra le 28 février 1974. C'est une autre occasion d'affrontement entre la gauche et la droite du parti. Le débat a lieu au conseil national au début de 1974. La région Montréal-Centre n'est pas enthousiaste à l'idée d'un appui du PQ au journal d'Yves Michaud. Si le parti a de l'argent, qu'il l'investisse plutôt dans *Québec-Presse*, disent ses représentants. Mais l'autre tendance, Claude Morin en tête, se range derrière Lévesque en faveur d'un appui financier qui respecterait l'autonomie éditoriale du quotidien. Cette décision allait sonner le glas de *Québec-Presse* qui fermera ses portes en novembre 1974, soit neuf mois après le lancement du *Jour.*

Le Jour connaît rapidement d'énormes difficultés financières. Les publicités gouvernementales, qui représentent une bonne proportion de l'assiette publicitaire des quotidiens, lui sont refusées. Les gouvernements boycottent ouvertement le journal indépendantiste et social-démocrate. *Le Jour* réussit néanmoins à faire passer son tirage à 30 000 exemplaires. Il écume sérieusement le lectorat du journal *Le Devoir* dont le tirage passe de 35 000 à 25 000 copies. *Le Jour* s'était donné une structure, empruntée au journal français *Le Monde,* avec une société des rédacteurs qui donnait un grand pouvoir aux journalistes sur la gestion de l'information. En 1976, la crise éclate donc. Les administrateurs trouvent *Le Jour* trop critique à l'égard du Parti québécois. Ils accusent les journalistes de vouloir transformer le journal en un organe maoïste d'extrême-gauche. Les journalistes s'emparent du contrôle du journal et occupent les bureaux. Jacques Parizeau en tant qu'administrateur recommande de couper les vivres. Le journal cesse donc de paraître le 27 août 1976, à la toute veille de l'élection générale. L'expérience aura duré deux ans et demi. Au conseil national du 9 juin 1976, la région de Montréal-Centre s'était prononcée contre la fermeture du *Jour;* Robert Burns et Guy Bisaillon avaient pris la défense des journalistes. Gilbert Paquette et Louise Harel avaient fait adopter une motion apportant « un entier appui aux artisans du *Jour* pour maintenir une publication indépendantiste et social-démocrate ». Cela n'avait pas suffi toutefois à maintenir l'existence du journal.

Revenons quelque peu en arrière, au congrès du 15 novembre 1974, qui sera celui de l'affrontement sur l'étapisme. Peu avant le congrès, Claude Morin, à qui l'exécutif a demandé d'étudier la question de l'accession à la souveraineté, dévoile aux militants les grandes lignes de son étude qui débouche sur une indépendance graduelle. Il a d'abord suggéré à l'exécutif la mise en veilleuse stratégique de l'indépendance, mais devant la levée de boucliers, il se replie sur une stratégie des petits pas. Mais Lévesque – qui craint une intervention militaire d'Ottawa en cas de victoire péquiste – encourage Morin à pousser à fond sa cabale en faveur du référendum en prévision du congrès.

À la veille du congrès, *La Presse* publie un sondage selon lequel 83 % des Québécois réclament un référendum en cas de victoire péquiste. Le clan Morin, dont les principaux ténors sont René Lévesque, Jacques-Yvan Morin, Guy Joron, Marc-André Bédard et Claude Charron, s'en réjouit. Claude Morin défend sa proposition en servant aux congressistes l'analogie chilienne.

Jacques Parizeau est présent au congrès, mais à titre de journaliste du *Jour*. Il n'a pas réussi à se faire élire délégué dans l'association de comté d'Outremont où il habite et dont il a déjà été le président. L'association de comté est pour le référendum, Parizeau est contre. Mais ses partisans, dont Louise Harel, Gilbert Paquette, Guy Bisaillon et Louis O'Neil sont actifs sur le plancher du congrès. Louis O'Neil argumente qu'avec l'approche référendaire, le Parti québécois va attirer aux élections une clientèle fédéraliste qui va se retourner contre lui lors du référendum. De plus, il soutient que la tenue d'un référendum va faciliter le travail de sape des fédéraux et des milieux financiers.

Finalement, une majorité se dégage en faveur du compromis élaboré par Gilbert Paquette, le conseiller au programme. Il y aura un référendum au lendemain de la victoire, uniquement s'il y a une opposition systématique du fédéral qui refuserait de négocier une entente de souveraineté-association. Les observateurs au congrès notent tous que la proposition est adoptée parce que René Lévesque a réussi in extremis à faire changer de camp Pierre Marois et les délégations de la Rive-sud qu'il dirige. La proposition est adoptée par 630 voix contre 353. Un tiers du congrès est contre; ils seront désormais qualifiés de « purs et durs ». Claude Morin se déclare satisfait.

Quelques semaines avant le congrès, Robert Burns avait déclaré sur les ondes d'un poste de radio : « Si monsieur Lévesque ne se fait pas élire avant la prochaine élection, je pense que ce serait préférable que nous ayons un nouveau chef qui ne soit pas handicapé par deux défaites électorales. » Mais le sondage de *La Presse* révèle que 74 % des péquistes demande au leader de rester aux commandes. Lévesque profite du congrès pour consolider son pouvoir sur le parti. Gilbert Paquette est remplacé par Pierre Marois comme conseiller au programme. Le nouvel exécutif lui est totalement acquis, à une exception près. Le seul contestaire élu, à part Burns qui y siège d'office comme représentant du caucus, est le syndicaliste Guy Bisaillon. Lévesque se méfie de Bisaillon qu'il a vu recourir à des tactiques agressives lors de la grève de la *United Aircraft* et il se rappelle qu'en 1972, lors de la grève illégale du Front commun, il avait poussé à la grève illégale le syndicat des enseignants de Chambly qu'il dirigeait.

À partir de ce congrès, les divergences s'accentuent encore entre les deux tendances. Claude Morin et René Lévesque consolident leur ascendant sur le parti et parlent de plus en plus de prise de pouvoir et de moins en moins de souveraineté. De plus, Morin prend ses distances avec le programme du parti en parlant d'un référendum obligatoire, le tout avec l'aval manifeste de Lévesque. L'influence de Parizeau sur Lévesque est en chute libre. Les divergences entre les deux ailes du parti atteignent un tel paroxysme qu'elles menacent de conduire à une scission.

Lors d'une réunion de l'exécutif à l'auberge Handfield sur la rive sud de Montréal, l'affrontement se produit. Le leadership de Lévesque est remis en question. Guy Bisaillon sonne la charge : « Le PQ est un parti de coalition, mais l'équilibre entre les tendances n'est plus assuré. Les mêmes doivent toujours mettre de l'eau dans leur vin. C'est très clair pour moi : je pense à quelqu'un d'autre à la tête de notre parti. » Robert Burns endosse l'opinion de Bisaillon : « Le PQ est malade. On m'accuse d'être le chef des factieux de gauche, alors que depuis 1970 je défends le parti auprès des milieux ouvriers et des syndicats. Notre problème, c'est le leadership. René dit qu'il n'y a pas d'équipe au PQ. C'est vrai, mais c'est parce qu'il n'y a pas de chef. On lui a demandé de se faire élire, il a refusé. On l'a invité à venir à nos caucus, il ne vient jamais. René, je t'aime bien, mais je te le dis clairement : ou tu fais équipe avec nous ou tu n'es pas un chef. À mon avis, tu ne l'as pas, le leadership ! » Selon Michel Carpentier, René Lévesque leur a répondu crûment : « Ma bande de christs, si vous voulez ma tête, venez la chercher sur le plancher du congrès, on verra qui est le chef. »

Plusieurs croyaient que l'heure de la scission était venue. Que Lévesque obtiendrait ce qu'il avait toujours recherché depuis la création du Parti québécois : la création d'un parti souverainiste à sa gauche. Le déclenchement précipité des élections générales et la convocation des citoyens aux urnes pour le 15 novembre 1976 va réunifier les forces. Mais l'animosité de Lévesque à l'égard de Bisaillon et Burns demeurera. Malgré ses compétences, Bisaillon n'accédera jamais au cabinet. Burns, lui, ne pouvait être tenu à l'écart à cause de ses années de service, mais il devra se contenter du ministère de la Réforme des institutions parlementaires. Lorsqu'il devra quitter la politique, victime d'un infarctus, Lévesque n'aura aucun bon mot à son endroit et ne s'informera même pas de son état de santé par téléphone.

Avec le départ de Robert Burns, la gauche perd son représentant le plus illustre. Personne de son calibre ne le remplacera. La gauche continuera de faire sentir sa présence; les Lazure, Paquette, Payette, etc., défendront becs et ongles les projets de lois progressistes qui seront finalement adoptés par le gouvernement péquiste et ils réussiront à plusieurs occasions à contrer les velléités de Lévesque, Morin et cie de casser du sucre sur le dos du mouvement syndical, particulièrement lors des négociations du secteur public de 1979. Mais le débat gauche/droite passe imperceptiblement à l'arrière-plan, cédant l'avant-scène à la controverse sur la stratégie d'accession à la souveraineté. L'affrontement significatif opposera dorénavant Parizeau au tandem Lévesque-Landry. En quelques années, ces derniers auront réussi à isoler la gauche au sein du Parti québécois. C'est ce que réalisent Burns et Bisaillon lorsqu'ils disent que « l'équilibre entre les tendances n'est plus assuré ». Avec l'aide de la GRC, qui remet à Morin la liste des noms des personnes à surveiller, et l'action des maoïstes qui discréditent le Parti québécois dans les milieux syndicaux, la gauche est nettement en recul et le débat national en vient à occulter le débat social.

Le 20 octobre 1976, René Lévesque lance officiellement la campagne électorale du Parti québécois, en lisant un texte de neuf pages où le mot indépendance n'apparaît pas une seule fois. Comme lors de l'élection de 1973, un dépliant de dernière minute est distribué au cours de la campagne électorale. Il y est écrit : « Une fois élue, l'équipe du Parti québécois sera encore à la tête d'un gouvernement provincial. Elle veillera à établir avec le Canada une nouvelle association. D'égal à égal, pour la première fois (...) Nous engagerons donc des discussions avec Ottawa. Si Ottawa refuse, c'est ensemble que nous trancherons la question par référendum. » C'était bien loin du programme du parti qui affirmait qu'une fois le gouvernement du Parti québécois élu, il doit mettre « immédiatement en branle le processus d'accession à la souveraineté ». Mais les divergences se dissiperont dans l'euphorie de la victoire pour ne refaire surface qu'en 1979 lors du débat sur la question référendaire.

Le Parti québécois est donc élu, mais avec seulement 41% des suffrages. Il bénéficie de la division du vote anglophone, alors qu'une partie de cet électorat, mécontent des lois linguistiques du gouvernement Bourassa, a donné son appui à l'Union nationale. On calcule que le Parti québécois a profité de la situation pour faire élire ses candidats dans au moins 32 comtés. Dans une entrevue qu'il accorde à son biographe en l'an 2000, Jacques Parizeau déclare :

« Pour moi, le point tournant se déroule dans les jours qui précèdent l'élection de 1976, quand on commence à diffuser le renouvellement du fédéralisme. Ce ne sera jamais tout à fait pareil après ça. Je me suis rendu compte que pour prendre le pouvoir, on serait prêt à faire à peu près n'importe quoi. »

Jacques Parizeau voulait un référendum six mois après l'élection pour profiter de la force d'entraînement de la victoire du 15 novembre. Déjà, il pressentait ce qu'il appellera les « distractions du pouvoir » qui amènent les ministres à « jouir » de leur situation et de leurs privilèges au point d'en oublier la souveraineté.

Claude Morin voulait, au contraire, le référendum le plus tard possible et il aurait même souhaité qu'il soit reporté à autre mandat. En 1979, la chute du gouvernement Joe Clark le surprend alors qu'il est en mission officielle au Togo. Il revient en catastrophe pour vendre à Lévesque l'idée de profiter du changement de conjoncture et du prétexte de la nouvelle élection fédérale pour reporter la tenue du référendum à un prochain mandat. Trop tard cependant, Lévesque s'étant engagé la veille devant l'Assemblée nationale à tenir le référendum tel que prévu. Morin menace de démissionner, mais finit par se rallier devant l'impossibilité politique de faire marche arrière.

Dans son livre *Mes premiers ministres* publié en 1991, Claude Morin revient sur cette question : « Pourquoi s'obliger à un référendum pendant le premier mandat ? (...) Face au résultat de mai 1980, certains se sont par la suite demandés si, malgré les remous que cette décision aurait causés dans le Parti et à l'extérieur, il n'aurait pas été en définitive plus intelligent de reporter cette consultation à plus tard, par exemple à un second mandat du gouvernement, quitte à attendre une époque où les sondages seraient devenus totalement rassurants. » C'est déjà l'idée des « conditions gagnantes » qui est ici exprimée.

À défaut de pouvoir reporter ouvertement le référendum sur la souveraineté à un deuxième mandat, Claude Morin concocte un plan pour atteindre cet objectif indirectement. Il vend à René Lévesque – qui l'accueille avec enthousiasme – l'idée d'un deuxième référendum. Le premier référendum porterait sur le mandat de négocier et le deuxième sur le résultat des négociations. La loi sur les consultations populaires ne permettant pas la tenue d'un deuxième référendum au cours d'un même mandat, le référendum sur l'accession à l'indépendance devrait nécessairement se tenir lors d'un deuxième mandat. Les fédéralistes auraient donc trois chances pour bloquer l'indépendance : le premier référendum, l'élection, le deuxième référendum.

Dans sa biographie de Jacques Parizeau, Pierre Duchesne cite un document de travail secret provenant du bureau de Claude Morin daté du 14 janvier 1978. Morin parle uniquement d'un mandat de négocier l'association avec le reste du Canada. Pour ce qui est de la question référendaire, Morin écrit qu'une question « limpide » semblant « claire et honnête constitue le moyen le plus sûr de recevoir une réponse majoritairement négative ». Selon lui, il faut donc éviter une question du genre : « Êtes-vous pour ou contre l'indépendance ? » Le document conclut qu'il faut plutôt choisir une « approche descriptive », c'est-à-dire une question où le public devra se prononcer sur le contenu, « par exemple sur une résolution ou une loi de l'Assemblée nationale comprenant la liste des pouvoirs à récupérer d'Ottawa, le tout coiffé d'un préambule pertinent et évocateur ». C'est cette approche qui fut finalement retenue et qui donna « une réponse majoritairement négative ».

Pour parvenir à ses fins, Morin s'adjoint en juin 1978 Daniel Latouche, un politicologue qui fréquente assidûment le consul états-unien à Québec, Francis McNamara, pour l'informer des dessous du pouvoir péquiste. Un document de Latouche daté du 3 octobre que cite Pierre Duchesne révèle le complot en train de se tramer. Latouche écrit à Morin que « l'accession du Québec à la souveraineté-association implique une double négociation ». Il estime que faire accepter l'idée d'association au parti sera aussi périlleuse que de faire avaler la souveraineté du Québec au reste du Canada. L'essentiel de son texte de cinq pages ne parle que des difficultés à négocier avec les péquistes. Quelques lignes à peine sont consacrées aux négociations avec le fédéral comme si l'ennemi véritable résidait à l'intérieur même de l'organisation. Il insiste sur une « association économique étendue » comprenant une union monétaire avec le Canada et la nécessité d'institutions politiques et administratives communes. Il ajoute dans son mémo qu'il faut « faire accepter l'idée que les propositions gouvernementales ne sont que des objectifs de négociation qui devront éventuellement faire l'objet d'un compromis ».

Le 10 octobre 1978, Lévesque déclare : « Il n'est pas question dans notre esprit d'obtenir d'abord la souveraineté, puis de négocier l'association par la suite. Nous ne voulons pas briser, mais bien transformer radicalement notre union avec le reste du Canada afin que, dorénavant, nos relations se poursuivent sur la base d'une égalité pleine et entière. » Cette déclaration suscite beaucoup de mécontentement auprès des membres; plusieurs associations de comté protestent, mais Lévesque passe outre.

Parizeau est tenu à l'écart, tout comme le reste du parti, des préparatifs référendaires. Même Pierre Harvey, le conseiller au programme de 1977 à 1982, avoue : « C'est le bureau du premier ministre qui menait les choses. Nous n'étions pas dans le coup. » En fait, c'est comme si tout se passait entre les partenaires de poker et de black-jack de René Lévesque, soit l'inévitable Claude Morin, Marc-André Bédard, Jean-Rock Boivin et quelques autres. C'est la « gang des parties de cartes », comme l'appellera Parizeau.

Quand s'ouvre le 7e congrès du Parti québécois, les 2 et 3 juin 1979, la table est mise pour le triomphe de l'étapisme. Les délégués entérinent sans animosité l'ensemble des propositions contenues dans le manifeste *D'égal à égal*. Le référendum va porter sur le mandat de négocier. Le congrès biffe du programme toute référence à une déclaration unilatérale d'indépendance en cas d'échec des négociations avec le Canada. Une seconde consultation auprès de la population sera nécessaire. La résolution ne précise pas que ce doit être un second référendum. Parizeau se rallie en déclarant : « Ça peut être un référendum, ça peut être une élection qui tombe au bon moment, ça peut être de faire ce qu'on veut. » Parizeau accepte également à ce congrès qu'on enterre l'idée d'un dollar québécois qu'il avait farouchement défendu jusque-là. Le congrès effectue un autre virage à 180 degrés en proclamant qu'un Québec souverain adhérera aux traités militaires de l'Otan et de Norad, comme l'avait promis secrètement Claude Morin aux représentants des États-Unis.

La prochaine étape est la rédaction de la question. Chargé par Lévesque de présenter des projets de question référendaire, Morin amène un nouvel élément de dilution. Jusquelà, il était convenu qu'il revenait au parlement québécois d'entériner le résultat des négociations avec le gouvernement fédéral. En cas d'échec seulement, une deuxième consultation devenait obligatoire. Maintenant, la consultation est obligatoire en cas de succès comme d'échec. De plus, cette consultation devra prendre la forme d'un deuxième référendum, qui ne pourra donc avoir lieu avant la tenue d'élections générales, la loi référendaire ne permettant pas la tenue de deux référendums sur le même sujet au cours d'un même mandat. Encore une fois, Parizeau est tenu dans l'ignorance des discussions menant à cette nouvelle proposition.

La question référendaire soumise à l'attention du Conseil des ministres précise que « tout changement de statut politique résultant de ces négociations sera soumis à la population par référendum ». Voyant que toute tentative de faire biffer le deuxième référendum sera vaine, Parizeau fait plutôt porter le débat sur un autre aspect du même énoncé. Il n'aime pas l'expression « statut » politique. Il a l'impression que cela pourrait signifier un « statut particulier » pour le Québec à l'intérieur de la confédération plutôt que l'indépendance. Il propose de remplacer le mot « statut » par celui de « régime ». Après de longs débats, le Cabinet accepte de remplacer « statut politique » par « régime politique » et met fin à ses travaux à deux heures du matin. Mais, ô surprise, le lendemain, lorsque René Lévesque fait lecture devant l'Assemblée nationale de la question référendaire, le mot « régime » a été remplacé par « statut ». Claude Morin et les membres de son petit comité ont modifié au cours de la nuit la question. Parizeau est furieux. Pierre Duchesne décrit ainsi la scène :

« À la fin du discours prononcé par René Lévesque, tous les élus péquistes se lèvent et applaudissent à tout rompre. Tous, sauf un, Jacques Parizeau, qui reste assis. Gêné par l'attitude de son collègue, Claude Morin lui fait signe et lui dit :

– Jacques... franchement !

– Vous m'avez trahi !, lui répond-il, à voix basse.

Le ministre des Finances finit par se lever, en applaudissant du revers de la main. »

La suite est connue. Les sondages placent le *Oui* en avance après les débats à l'Assemblée nationale sur la question. Mais le fédéral riposte rapidement avec toute son artillerie lourde. Intimidations, mensonges, propagande, tout est au rendez-vous. Au palmarès des pires démagogues fédéralistes, on retrouve Jean Chrétien, André Ouellet et Claude Ryan. C'est Jean Chrétien qui déclare, en parlant des péquistes : « C'est la gangrène. La pourriture est rendue au pouce. Si ça continue, va falloir couper le bras. » André Ouellet s'écrit aux Communes : « Dans tout autre pays du monde, les séparatistes se seraient fait casser la gueule, assommer et fusiller. » Quant au très catho-

196

lique Claude Ryan, il dit d'un ministre péquiste qui avait sollicité l'appui de l'homme politique français Michel Rocard : « Il est allé se mettre à quatre pattes devant Rocard pour lui sucer un *Oui*... »

Sous prétexte de combattre l'alcoolisme, Ottawa installe un peu partout dans la province plus de 250 panneaux routiers affichant la formule : « Non merci, ça se dit bien », qu'on entend aussi à la radio et à la télévision. Jean Chrétien fait insérer ce message de Santé Canada dans l'enveloppe des allocations familiales et des pensions de vieillesse.

Les fédéraux avaient acheté massivement dès l'automne 1979 de la publicité dans les médias en prévision du référendum. Les souverainistes ne pouvaient plus acheter du temps d'antenne à la télévision ou à la radio, les fédéralistes avaient tout monopolisé.

Les sociétés fédérales de la Couronne et le Conseil du Patronat se mettent également de la partie. Selon l'étude des comptes publics fédéraux de 1979-1981, réalisée par le journaliste Claude-V. Marsolais, le Centre d'information sur l'unité canadienne a dépensé plus de 11 millions de dollars entre le 1er janvier et le 21 mai 1980 seulement. Pour se conformer à la loi 92, le comité du *Oui* n'a pas dépensé plus que 800 000 dollars en publicité, comme d'ailleurs le comité du *Non*.

À cela, le Parti québécois n'oppose qu'une campagne référendaire au discours très modéré – par exemple, Morin fait bannir l'utilisation du mot « peuple » – au cours de laquelle Parizeau est mis à l'écart. Sans surprise, le camp du *Non* l'emporte avec 60 % des voix contre 40 %.

Dans *Les choses telles qu'elles étaient,* Morin écrit : « Je conclus de l'expérience de 1980 que la population a rejeté l'orientation souverainiste non à cause de circonstances accidentelles, mais pour des motifs ancrés en elle. Indéracinables. » En fait, Morin avait rejeté cette option bien avant que le peuple se prononce. À l'occasion du vingtième anniversaire du référendum, il reconnaît, dans un aveu non équivoque, que « ce serait mentir que de dire qu'il n'y avait qu'une seule chose qui pouvait résulter de l'opération, soit la souveraineté totale et complète ». Il précise alors qu'un référendum gagnant aurait pu aboutir à une forme de renouvellement du fédéralisme.

Mais la mission de Morin n'était pas terminée. Après la défaite référendaire, il propose de façonner un front commun avec les provinces anglophones afin de forcer le gouvernement fédéral à négocier une nouvelle fédération canadienne qui tienne compte des demandes du Québec. Il insiste pour se faire accompagner à la conférence fédérale-provinciale par ses amis : « Je n'y vais que si je suis accompagné. Je me suis donc arrangé pour faire nommer deux de mes amis avec lesquels je m'entendais très bien : Claude Charron et Marc-André Bédard », écrit-il dans *Les choses telles qu'elles étaient.* Les qualités des deux larrons se résument à être des amis de Morin, car Charron n'est pas juriste et Bédard, qui est juriste, ne parle pas anglais ! La conférence est un échec.

En avril 1981, trois jours après la réélection du Parti québécois, Morin convainc Lévesque de s'allier à sept premiers ministres des provinces anglophones et de former avec eux le front commun des provinces qui s'oppose au rapatriement unilatéral de la Constitution. Seuls l'Ontario et le Nouveau-Brunswick font alliance avec Ottawa. La position du front commun des provinces est la suivante : la constitution canadienne ne pourra être rapatriée et modifiée qu'avec l'accord des deux tiers des provinces représentant 50 % de la population. Le front commun demande également le retrait du projet de la Charte des droits et libertés, lequel affaiblirait trop, selon eux, le pouvoir des provinces. Pour la première fois de son histoire, le Québec ne revendique pas le droit de veto qu'il peut exercer pour tout changement constitutionnel. En échange de cet abandon, Morin propose que toutes les provinces, dans l'éventualité où elles ne désireraient pas appliquer certaines modifications constitutionnelles, aient un droit de retrait avec compensation financière. En cas d'échec, Morin peut toujours prétendre qu'il retournera à la position traditionnelle du Québec, celle qui inclut son droit de veto, mais par cet accord, il signifie au reste du Canada que ce droit est négociable. Dorénavant, le rapport de force du

Québec réside essentiellement dans le front commun des provinces. Si celui-ci éclate, la position du Québec s'effondre.

Dans les premières heures de la conférence constitutionnelle, Lévesque lance à Trudeau le défi de consulter la population avant de s'adresser au Parlement britannique pour le rapatriement de la Constitution. Trudeau relève le défi et propose de soumettre la Charte à un référendum national et Lévesque d'accepter, convaincu qu'il gagnerait au Québec. Mais les autres provinces ne veulent pas d'un référendum. Le front commun vacille. Trudeau triomphe. Au cours de la dernière nuit de la conférence, pendant que la délégation du Québec festoie à l'hôtel Laurier à Hull, de l'autre côté de la rivière aux Outaouais les provinces anglophones négocient avec le gouvernement fédéral. Le lendemain de ce qui sera qualifiée de « la nuit des longs couteaux », le Québec apprend que le front commun n'existe plus. Les provinces anglophones acceptent la Charte des droits et libertés, mais avec une clause nonobstant. Une province pourra se soustraire de certains aspects de cette charte, mais le droit de retrait se fera sans compensation financière. Le Québec perd donc sur tous les fronts. Il n'a plus de droit de veto ni de droit de retrait avec compensation. Trudeau pourra rapatrier la Constitution et y intégrer la Charte des droits et libertés, dont une des principales caractéristiques est d'avoir été taillée sur mesure pour invalider des pans entiers de la Charte de la langue française, la loi 101. Lévesque est dévasté, le Québec s'est fait lessivé. Comment cela a-t-il été possible ? Claude Charron déclare par la suite que la délégation du Québec était « mal préparée ». Est-ce suffisant comme explication ? Jacques Parizeau avait été tenu à l'écart de la délégation, mais il était allé jeter un coup d'œil sur ce qui se passait. Le spectacle, confiera-t-il plus tard, était désolant. L' « équipe du tonnerre » de Claude Morin, avec le non-juriste Claude Charron et l'unilingue Marc-André Bédard, fonctionnait de façon tout à fait débraillé. Plus inquiétant encore, circulaient librement au sein des membres de la délégation des documents estampillés « secret » du gouvernement fédéral sur lesquels Claude Morin avait « miraculeusement » réussi à mettre la main. La délégation était euphorique : les documents dévoilaient toute la stratégie fédérale ! Parizeau trouva que tout cela ne sentait pas bon et s'empressa de revenir au Québec pour ne pas être associé à ce qui s'y déroulait.

Quelques semaines après le désastre de la conférence constitutionnelle, Loraine Lagacé informe René Lévesque, preuves à l'appui, que Claude Morin est un agent rémunéré des services secrets canadiens. Lévesque accuse le coup et, selon toute vraisemblance, est alors victime d'un léger infarctus. Il exige de Morin sa démission; celui-ci obtempère.

□

Le tableau de l'influence de Claude Morin sur l'évolution du Parti québécois serait incomplet si, au-delà de la stratégie référendaire, on ne tenait pas compte de l'impact de ses interventions sur l'ensemble du programme politique du parti et sur son membership. Dans ses mémoires, Lise Payette identifie Claude Morin comme le principal porte-parole des conservateurs qui, par ses commentaires et son humour cynique, créait un climat défavorable à toutes les réformes.

Dans le débat sur la première mouture de la Charte de la langue française, il est celui qui exprime avec le plus de cynisme son opposition au projet de loi. Il se prononce avec Lévesque contre la clause Québec qui restreint le droit à l'éducation en anglais aux anglophones du Québec et est en faveur de la clause Canada qui accorde ce droit à tous les anglophones du Canada. Finalement, au terme d'un débat houleux, la clause Québec sera adoptée, pour être plus tard invalidée par les tribunaux après l'entrée en vigueur de la Charte des droits et libertés de Trudeau.

Claude Morin ne faisait pas que se « vendre » au gouvernement fédéral, il vendait aussi le territoire du Québec. La député Jocelyne Ouellet a été obligée d'ameuter le cabinet Lévesque parce que Claude Morin négociait la cession à Ottawa de territoires nécessaires à la construction des édifices fédéraux dans la région d'Ottawa où le gouvernement fédéral voulait créer une zone de la Capitale nationale.

Sous Robert Bourassa, 23 % du territoire de Hull était de propriété fédérale. Sous le Parti québécois, avec Claude Morin responsable du dossier, on en était à 35 %.

Claude Morin a émasculé le programme original du Parti québécois en faisant adopter des résolutions prévoyant une monnaie commune, une banque centrale commune et des passeports communs. Il est également celui qui rassure les États-Unis en faisant adopter au congrès de 1979 une résolution qui prévoit qu'un Québec souverain accepterait « d'établir conjointement avec le Canada et les autres partenaires impliqués les modalités de sa participation à des organismes de sécurité tels que l'Otan et Norad ».

Dans *L'œil de l'aigle,* le journaliste Jean-François Lisée décrit les liens très étroits que Morin entretenait avec Franck McNamara, alors consul général des États-Unis à Québec : « Lorsque le Parti québécois, après une rencontre de stratégie cruciale, s'apprête à révéler que la souveraineté-association impliquera notamment des unions monétaires et douanières, une banque centrale commune et des passeports communs, Claude Morin donne le scoop à McNamara dans un briefing matinal particulier. McNamara transmet son résumé de la stratégie à Washington avant que Lévesque n'ait le temps de l'annoncer au public et aux journalistes. » Lisée ajoute qu'« un mois avant la publication du livre blanc sur la souveraineté-association, Morin offre au diplomate une explication détaillée de son contenu encore en évolution. Lorsque le document ultra-secret est fin prêt, Morin en remet une copie au consulat américain, une journée avant qu'on ne le distribue aux journalistes ».

Le travail de sape de Morin ne se limite pas aux modifications apportées à la stratégie et au programme du Parti québécois. Il est beaucoup plus insidieux et profond. Dans *Les choses comme elles étaient,* il s'attribue le mérite d'avoir fait changer le discours péquiste en faisant rayer les références à la lutte contre le colonialisme. L'affirmation – populaire au début des années 1970 – à l'effet que « le Québec est une colonie du Canada anglais exploitée par les capitalistes américains » est, selon Morin, du misérabilisme colonial. Nous sommes d'accord que le Québec n'est pas véritablement une colonie. Il a des institutions politiques qui lui sont propres et il s'autogouverne dans ses champs de juridiction. Le terme semi-colonie – ou encore mieux nation dépendante – serait plus juste. Mais Morin ne cherche pas une précision sémantique. Il veut faire disparaître tout le discours sur l'oppression nationale. Morin s'attaque également à la thèse du fédéralisme « grand Satan » dont un des objectifs aurait été l'assimilation des francophones. Il est faux, affirme-t-il, de prétendre que « l'affaiblissement des francophones, prélude à leur assimilation souhaitée par la majorité anglaise, était le but du fédéralisme ».

La dualité nation oppressive/nation opprimée fait place chez Morin, et par la suite dans le discours péquiste, au couple majorité/minorité. Morin écrit : « Les Canadiens anglais majoritaires – et Ottawa, leur *national gouvernement* – ne trichaient pas en aménageant le fédéralisme selon leur conception. Et les Québécois, minoritaires, avaient parfaitement le droit de lutter contre ce comportement. » Toute la question nationale est réduite à la dichotomie majorité/minorité qu'il serait possible de résoudre par un réaménagement du fédéralisme. Le livre blanc publié pour le référendum de 1980, rédigé sous la direction de Morin, illustre parfaitement le changement de discours. Il n'y est jamais question de la lutte de la nation québécoise contre l'oppression nationale. L'histoire du Canada depuis la confédération est présentée comme celle de l'opposition entre les partisans d'une confédération centralisée – les anglophones – et les tenants d'une confédération décentralisée – le Québec.

L'histoire canadienne est quelque peu plus complexe et cette dichotomie ne reflétait certainement pas le jeu des forces politiques des années 1970, alors que les provinces de l'Ouest et le parti conservateur fédéral prônaient un pays décentralisé sous le vocable d'une « communauté des communautés ». Par contre, s'y révélait la proposition du gouvernement péquiste aux éléments centralisateurs du Canada : nous sommes prêts à vous appuyer en échange d'une reconnaissance d'un statut particulier pour le Québec. Mais les forces représentées par le gouvernement Trudeau ont pensé qu'elles pouvaient – au contraire – mettre à profit la situation créée par l'élection du Parti québécois et le référendum de 1980 pour réaliser leurs visées centralisatrices sans devoir accorder de statut particulier au Québec, comme allait l'illustrer le rapatriement unilatérale de la Constitution.

Pour que Claude Morin puisse faire avaler autant de couleuvres aux souverainistes, il lui fallait bien entendu, avec l'aide des services secrets canadiens, mettre en échec la gauche au sein du Parti québécois. Mais cela ne pouvait qu'être circonstanciel. Des changements fondamentaux devaient être apportés pour modifier profondément la composition sociale du parti. Dans son autobiographie politique, Morin écrit là-dessus : « Nos orateurs évoquaient les " forces vives de la nation " attirées par le parti, mais, à en juger par les présents, elles n'incluaient pas les notables classiques du milieu québécois. » Il poursuit : « La pénurie d'hommes d'affaires n'avait rien d'étonnant. Ils auraient alors été probablement aussi bien vus que des francs-maçons à un congrès de Chevaliers de Colomb. » Puis Morin nous donne une idée des modifications qu'il voudrait voir s'opérer dans la base sociale du parti. « Plus troublante, écrit-il, était l'absence quasi complète, dans nos manifestations grandes et petites, et aussi dans nos structures, de ces détenteurs de pouvoir local ou paroissial que sont les maires, les échevins, les hauts fonctionnaires municipaux, les dirigeants des mouvements sociaux, les commissaires d'écoles, les responsables d'organismes de loisirs. »

Chose certaine, les quatre années de pouvoir, avant la tenue du référendum, allaient permettre la transformation du parti. De 1969 à 1979, le membership passe de 16 000 à 203 000 membres. De toute évidence, plusieurs prennent leurs cartes de membres et participent aux instances dans l'espoir de se rapprocher du pouvoir afin de décrocher certaines faveurs. S'ajoute à cela que la campagne menée dans le monde syndical par la gauche marxiste-léniniste à coups de « Parti québécois, parti bourgeois » a pour effet d'éloigner les travailleurs et travailleuses syndiqués du Parti québécois.

Plus importantes encore peut-être sont les conséquences de trois ans d'administration de la province sur les cadres dirigeants du parti. On se rappellera que Jacques Parizeau était favorable à un référendum dans les six mois après la prise du pouvoir parce qu'il craignait que les « distractions du pouvoir » et les privilèges assortis aux fonctions ministérielles corrompent ses collègues. Mais le nombre de personnes désormais « distraites » et corrompues par le fonctionnement de la machine gouvernementale est beaucoup plus important que les seuls membres du cabinet. Pour un grand nombre de militants, la prise du pouvoir est l'occasion de promotion à des postes dans l'appareil d'État. L'appareil gouvernemental a étêté le Parti québécois. Là encore, les avantages matériels et le statut social nouvellement acquis pouvaient avoir un effet délétère. Camille Laurin déclarera : « Les artisans des victoires d'antan se sont enlisé dans les officines, ont pris de la graisse ou ont décroché. Partout, nous manquons de leaders maigres, motivés, ardents. Je n'ai jamais vu autant de militants fatigués et automatisés, qui tournent en rond. A-t-on perdu la foi ? »

Ces différents facteurs expliquent qu'au congrès de 1979, René Lévesque et Claude Morin aient pu faire adopter sans susciter d'opposition véritable la stratégie référendaire, l'adhésion d'un futur Québec indépendant à l'Otan et à Norad, la monnaie et une union douanière communes, le passeport commun. Morin pouvait alors rassurer le consul états-unien Patrick Garland et lui demander de faire savoir à Washington que le Parti québécois est « une organisation démocratique et réaliste, comme le prouve sa démarche référendaire, et non un ramassis de marxistes, comme le donnerait à penser le discours de ses radicaux ». Le Parti québécois, ajoutait Morin, n'abrite pas plus que 400 marxistes qui « ne sont pas un problème ».

□

Quel bilan tirer des multiples activités de Claude Morin au sein du Parti québécois ? Premièrement, quiconque étudie sérieusement les faits ne peut en venir à d'autres conclusions que Claude Morin était un super-espion des services secrets étrangers. Pendant des années, d'abord comme fonctionnaire, puis comme ministre et membre du Parti québécois, il a informé les services secrets sur les activités du gouvernement et ses stratégies, particulièrement au chapitre de ses relations internationales. Puis, au sein du Parti québécois, il a infléchi la stratégie référendaire afin de « gagner du temps », tout en diluant l'option et le programme du parti. Tout cela, bien entendu, au bénéfice du gouvernement fédéral qui manoeuvrait pour déstabiliser le Parti québécois. C'est ce que confirmera Marc Lalonde, le responsable politique des activités subversives au sein du cabinet Trudeau, dans une entrevue accordée à Pierre Duchesne, le biographe de Jacques Parizeau, au cours de laquelle il admet avoir su à l'époque que Morin était l'un des informateurs de la GRC.

Aucune des justifications de Morin ne tient la route. Qu'il ait infiltré et manipulé les services secrets, comme il le prétend, qu'il leur ait soutiré des informations bénéfiques à la cause souverainiste, il ne peut évidemment en fournir aucune preuve.

L'espion Morin est d'une très grande habileté. Pour couvrir ses activités, sa technique est toujours de dire la vérité, mais une vérité tronquée, biaisée, arrangée. Personne ne peut l'accuser de cacher des choses, toujours il peut citer un texte, interpeller un témoin. C'est sa ligne de défense. L'accuse-t-on d'avoir tout mis en œuvre pour espionner le gouvernement lorsqu'il était haut fonctionnaire ? Il s'en vante. Dans *Mes premiers ministres*, il écrit : « Tout aussi intéressant était le fait que, pendant les huit années et demie où j'occupai le poste de sous-ministre, mon propre bureau fut toujours situé à quelques dizaines de pieds de la salle qui servait alors aux réunions du Conseil des ministres. Cela pour dire que de juin 1963 à octobre 1971, chaque semaine et parfois plus souvent, les ministres défilèrent près de ma porte. »

Il poursuit : « Quoiqu'il en soit, pendant toutes ces années, je profitai pleinement et sciemment de l'incroyable avantage stratégique, sur quiconque dans l'administration, que me procurait ma proximité de deux centres de pouvoir, complémentaires en principe mais parfois en opposition : le bureau du premier ministre, à une minute du mien, et le Conseil des ministres, à dix secondes. C'est ainsi que je pus, par contacts, fortuits ou organisés, connaître personnellement tous les ministres de tous les gouvernements du Québec, de 1963 à 1971, discuter avec eux, les observer, les comprendre, les évaluer. »

Pour assurer sa défense au cas où ses activités seraient dévoilées, sa tactique est toujours la même : il met quelqu'un dans le coup. Au début des années 1950, lorsqu'il prend contact pour la première fois avec Raymond Parent pour l'informer des activités de son ciné-club politique, qui projette des œuvres jugées à l'epoque subversives comme le *Cuirassé Potemkine,* et ses multiples abonnements à des revues soviétiques et chinoises, il en informe son professeur le père Georges-Henri Lévesque. Il suggère même en 1992 que c'est le père Lévesque qui lui avait conseillé une telle démarche. Mais ce dernier avait toujours, malgré ses 89 ans, une mémoire vive de l'événement et il démentira au journaliste Robert Cléroux qu'il ait été l'instigateur de cette démarche.

Pour expliquer sa reprise de contacts avec Raymond Parent en 1966, Morin déclare qu'il répondait à une demande de Jean Lesage, qu'il met aussi dans le coup en lui révélant ses contacts passés avec l'officier de la GRC. Malheureusement, Lesage n'était plus de ce monde en 1992 pour infirmer ou confirmer les déclarations de Morin. En 1969, c'est le secrétaire de la province, Julien Chouinard, qui est son confident. Chouinard est un anti-nationaliste notoire et un ami de Marc Lalonde. Morin nous dit dans *Les choses telles qu'elles étaient* que Chouinard croyait à l'existence d'un noyau d'activistes québécois qui s'était constitué autour du premier ministre Daniel Johnson, des ministres Jean-Guy Cardinal et Marcel Masse, et qui étaient en étroite liaison avec le réseau français de Philippe Rossillon. Ce n'était donc pas lui qui était pour trahir Morin.

Plus tard, toujours pour protéger ses arrières, Morin se confiera au ministre de la Justice Marc-André Bédard et à sa directrice de cabinet et amie de longue date, Louise Beaudoin. Bédard semble avoir trouvé la démarche de Morin normale, mais Louise Beaudoin fut estomaquée. Cependant, les deux gardèrent le secret. Plus tard, quand Normand Lester dévoila publiquement les activités policières de Morin, le stratagème des confidences apparut au grand jour. Morin fera témoigner Bédard et suppliera Louise Beaudoin de déclarer publiquement qu'elle était au courant. Elle aurait ainsi accrédité la thèse qu'il n'y avait rien de bien grave dans cette histoire d'espionnage puisqu'une personne aussi responsable que Louise Beaudoin, qui savait tout, n'avait pas jugé bon de parler au premier ministre et avait continué de travailler à ses côtés. Mais Louise Beaudoin, voyant qu'elle s'était fait piégée, refusa net de se prêter à ce jeu et de rencontrer les médias.

Les choses se passèrent différemment avec Loraine Lagacé, employée du gouvernement québécois à Ottawa. Elle ne faisait pas confiance à Claude Morin qui était son patron mais dont elle savait qu'il s'était opposé à sa nomination. Trop souvent, elle s'était rendu compte que des documents confidentiels du gouvernement fédéral sur lesquels elle avait réussi à mettre la main étaient coulés dans les médias après qu'elle les eût remis à Claude Morin. Ses soupçons s'aggravèrent lorsqu'elle reçut une copie du rapport de la Commission McDonald avec, souligné en jaune, un passage où il était dit que la police fédérale avait un informateur au sein du gouvernement péquiste. Morin pensa qu'elle savait tout lorsqu'elle lui fit part qu'un agent des services secrets, Jean-Louis Gagnon (le contrôleur de Morin), habitait le même édifice qu'elle. Pris de panique, Morin procéda avec Loraine Lagacé comme avec Louise Beaudoin et lui avoua ses relations secrètes avec la GRC dans l'espoir d'acheter sa complicité. Cependant, contrairement à Louise Beaudoin, Loraine Lagacé s'empressa de prévenir Michel Carpentier, le chef de cabinet adjoint du premier ministre, et, lorsque ce dernier lui demanda des preuves, Loraine Lagacé réussira à enregistrer secrètement les aveux de Claude Morin.

Les preuves des activités policières de Claude Morin sont accablantes. Comment a-t-il pu berner ainsi René Lévesque et ses collègues ? Il faut d'abord se demander ce que René Lévesque savait de la carrière parallèle de Morin lorsque Loraine Lagacé lui en apporte les aveux dans un document enregistré. Selon leurs propres témoignages, deux des autres partenaires de la « gang des parties de cartes », Marc-André Bédard et Jean-Rock Boivin, savaient, ce dernier ayant été mis au courant par le premier. Qu'est-ce qui a causé le malaise cardiaque de Lévesque ? Le fait d'apprendre que Morin rencontrait des agents des services secrets ? Qu'il avait touché de l'argent pour ses services ? Ou encore que l'affaire risquait de se retrouver sur la place publique avec le témoi-

gnage de Loraine Lagacé et la confession enre-
gistrée de Claude Morin ?

Car comment René Lévesque pouvait-il tout
ignorer des activités secrètes de Morin ? Selon
le journaliste Normand Lester, des députés
péquistes, Michel Bourdon notamment, encou-
rageaient depuis le début des années 1980 les
journalistes à enquêter sur les liens entre
Morin et la GRC. Jean Larin de Radio-Canada a
également fouillé la question au début des
années 1980. Le chroniqueur Ed Bantey de *The
Gazette*, conjoint de Denise Leblanc-Bantey du
PQ, était aussi convaincu du double jeu de
Morin. Le correspondant du *Toronto Star* à
Québec, Robert Mackenzie, répétait depuis le
milieu des années 1970 que Morin était assu-
rément une taupe.

Comment expliquer aussi que tant de personnes se soient portées à la défense de Claude
Morin à la suite du reportage dévastateur de
Normand Lester ? Premièrement, il ne faut surtout pas exclure qu'il se trouve parmi eux d'autres agents des services de renseignement,
qu'il y ait après Q-1, un Q-2, un Q-3 et ainsi de
suite. Morin n'a-t-il pas déclaré à Loraine
Lagacé qu'il était à la tête d'un réseau ? C'est
une tactique habituelle bien connue des services de sécurité, lorsqu'un de leurs agents est
démasqué, de faire en sorte que d'autres
agents se portent ouvertement garants de sa
bonne réputation.

Évidemment, l'ensemble de ceux qui ont
pris la défense de Morin, qui ont excusé ou

minimisé ses actes, ne peuvent tous être classés agents secrets. Comment alors expliquer leur réaction ? Pourquoi ses ex-collègues ont-ils minimisé les révélations de Normand Lester ? L'explication la plus logique est qu'ils ne pouvaient tout simplement pas reconnaître qu'ils s'étaient fait « rouler dans la farine » pendant toutes ces années, qu'ils s'étaient fait manipuler de façon absolument incroyable. Un tel aveu aurait ruiné leur carrière politique. Lorsque l'affaire Morin fut dévoilée en 1992, on eut l'impression que Jacques Parizeau voulait que la vérité sorte en invitant « ceux qui savent quelque chose à parler ». Mais, dès le conseil national qui suivit, le Parti québécois s'empressa de refermer le couvercle sur le panier de crabes et l'affaire fut considérée comme close. Reconnaître que le Parti québécois avait été manipulé et entraîné dans le cul-de-sac de l'étapisme par un agent des services secrets aurait provoqué son éclatement. Un tel aveu serait l'admission que les souverainistes honnêtes du parti s'étaient fait enfirouaper comme des enfants d'école pendant qu'ils se laissaient « distraire » par l'administration de l'appareil d'État et « jouissaient » des privilèges associés à leur tâche.

Se pose la question de savoir pour quels services secrets travaillait Claude Morin et comment il a été recruté. Spontanément, les services secrets canadiens apparaissent comme les principaux bénéficiaires de ses activités. Divers indices mènent donc dans cette direction. Ses contrôleurs étaient membres des services de renseignements canadiens. On présume également qu'il aurait pu être recruté au cours des années 1950, car on s'explique mal comment il a pu bénéficier pour ses études à l'Université Colombia d'une généreuse bourse canadienne tout en étant considéré comme un « security risk », comme le lui avait appris son professeur Maurice Lamontagne lorsque Morin songea à faire carrière dans l'administration fédérale. Cependant, quelque chose cloche, on cherche l'intérêt du gouvernement canadien dans certaines activités de Morin. Il était un personnage clef de la Révolution tranquille et, à titre de mandarin, il a permis de façon indéniable de consolider les pouvoirs du Québec, ce qui a été une source d'affrontements avec Ottawa.

Aussi, nous faut-il examiner d'autres hypothèses. Selon le journaliste Pierre Godin, Louise Beaudoin soutient que Claude Morin était un agent de la CIA et qu'il aurait été recruté par son beau-frère, le Roumain Nicolas Radoiu. Dans *Les choses comme elles étaient*, Morin raconte ainsi sa rencontre à la fin des années 1950 avec celui qui allait épouser en 1955 sa sœur Denise :

« C'était un Roumain, Nicolas Radoiu, étudiant en médecine, un peu plus âgé que moi et lui aussi *summer student* à l'Alcan. Dans des conditions périlleuses, il avait fui son pays à la suite de la prise du pouvoir par les communistes. Il émigra ensuite à Québec, où il fut dans l'obligation de recommencer, à Laval, ses études de médecine, entreprises en Roumanie et poursuivies en France. »

Morin ajoute :

« Je passai des heures à discuter avec lui de la situation dans les pays de l'Est. Ou à discourir sur la politique internationale. Ou encore à l'entendre raconter ses expériences pendant la guerre. Car l'alliance de 1939 à 1945, entre la Roumanie et l'Allemagne, signifiait que Nicolas, conscrit sur le front russe, avait été mon " ennemi ". (...) Notre amitié, née à Kingston, il y a quarante ans, dure encore. »

On comprend mal l'amitié qui a ainsi pu se nouer entre un Morin qui se targue d'afficher à l'époque des sympathies communistes et le combattant fasciste Radoiu qui avait fui son pays à cause de la prise du pouvoir par les communistes. Comment expliquer qu'il ait pu émigrer en France, puis au Canada ? Nous savons que les services de renseignement américains ont recruté nombre de combattants fascistes au lendemain de la Deuxième guerre mondiale pour combattre l'URSS dans le cadre de la Guerre froide. Radoiu était-il l'un deux ?

Plus tard, quand Morin décide d'aller étudier à l'étranger, il choisit l'Université de Colombia à New York parce que, écrit-il, « mon futur beau-frère, Nicolas, devenu un ami intime, s'y spécialisait déjà en médecine interne ». Normand Lester attire également notre attention sur le fait que Claude Morin, même s'il était considéré comme un « security risk » au Canada, ait pu aussi facilement traverser la

217

frontière et s'inscrire à une université américaine en plein maccarthysme. Lester rappelle que le Dr Denis Lazure s'était vu interdire l'entrée aux États-Unis à la même époque parce qu'il avait participé à une conférence sur la paix dans les pays de l'Est.

Dans le document notarié qui rend compte de ses relations avec la GRC, rendu public après les révélations de Normand Lester, Claude Morin semble très préoccupé de savoir quels sont les liens entre les services secrets canadiens et la CIA. Il écrit : « Je devins assez familier avec M. Parent pour m'informer des relations de la RCMP avec la CIA ou d'autres services similaires à l'étranger. En tout cas, j'osais poser des questions directes à cet égard. Je crus comprendre que les contacts étaient plutôt maigres et qu'il y avait même une rivalité et certainement du recoupement, particulièrement avec la CIA, mais sans autre précision, M. Parent étant, comme il fallait s'y attendre, très discret. »

Plus tard, lors de la reprise de contact, cette fois avec Léo Fontaine, les mêmes questions surgissent. « La RCMP collabore-t-elle avec la CIA ? » demande Morin. Réponse : « Chacun fait son travail de son côté, la CIA doublant partout au monde les services de renseignements nationaux et mettant en oeuvre son propre réseau. » Morin poursuit : « La RCMP croit-elle que la CIA est présente au Québec ? » Réponse plutôt vague : « Très probablement, et il n'est pas exclu qu'il y ait parfois échanges de renseignements au niveau officiel », lui aurait répondu Fontaine. Mais, encore plus révélatrice est la réponse que Morin fait à Fontaine lorsque ce dernier lui demande si par hasard il ne connaîtrait pas quelqu'un à qui la RCMP pourrait se fier. « Je lui répondis en boutade, écrit Morin, que le mieux serait pour lui de mettre la main sur un des agents que la CIA avait déjà probablement placés dans le PQ et à l'utiliser aussi pour les fins de la RCMP ! »

Une boutade, vraiment ? Curieusement, la signification de cette répartie échappe au journaliste Richard Cléroux qui, dans son livre *Pleins feux sur les services secrets canadiens, révélations sur l'espionnage au pays,* la qualifie de « drôle de réflexion ». Pourtant, elle est limpide. Morin dit, à mots à peine couverts, qu'il est lui-même l'agent de la CIA dont la GRC a besoin! Il acceptera d'ailleurs, peu après, la proposition d'être un agent rémunéré de la GRC.

Claude Morin, qui était un pingre notoire, se dit qu'il peut manger à deux râteliers, à celui de la GRC en plus de celui de la CIA, en espérant que l'information ne sera pas transmise d'une organisation à l'autre.

Dans son livre *Enquête sur les services secrets canadiens,* Normand Lester écrit sur le sujet : « L'information la plus énigmatique qui me soit parvenue depuis 1992 au sujet de l'affaire Morin, à la fois de sources politiques fédérales et d'anciens cadres des services secrets, veut que le SS/GRC ait eu, dans les années

1975-1976, accès à un dossier d'un service de renseignement américain qui a complètement changé son attitude au sujet de Morin. » Que contenait ce dossier ? Lester déclare que jamais le SS/GRC n'a voulu le partager avec lui. On peut légitimement émettre l'hypothèse qu'il informait la GRC que Claude Morin travaillait depuis longtemps pour la CIA.

La consolidation du pouvoir québécois dont Morin était un des architectes pouvait facilement s'inscrire dans la perspective états-unienne de renforcement du pouvoir des provinces canadiennes pour freiner les velléités d'« indépendance » du gouvernement central à l'égard de Washington. De façon encore plus globale, l'aile réformiste de la classe dirigeante états-unienne favorisait la modernisation des structures et des institutions étatiques des régions arriérées dans le but d'y contrôler l'inévitable mouvement de contestation. C'était le cas dans le sud des États-Unis avec le mouvement des droits civiques. Le même modèle pouvait fort bien s'appliquer à la Révolution tranquille québécoise.

Finalement, il nous reste à examiner le cas de René Lévesque. Pourquoi a-t-il continué à fréquenter Claude Morin une fois que lui furent révélées ses activités policières par Loraine Lagacé et qu'il ait même exigé sa démission ? Comment expliquer que le couple Lévesque-Côté ait continué d'entretenir des relations amicales avec le couple Morin, allant jusqu'à passer des vacances ensemble, alors que

Corinne Côté déclare aujourd'hui au biographe de son mari, Pierre Godin, que Morin était un traître ? Lévesque a-t-il poursuivi ses relations pour éviter de passer pour le dindon de la farce ?

Mais encore, de façon plus générale, comment expliquer que René Lévesque ait fait de Claude Morin son principal conseiller, son stratège ? Comment expliquer qu'il ait consciemment endossé les stratégies de Morin dont il était évident qu'elles menaient le mouvement souverainiste sur une voie d'évitement ? Certains répondent que Lévesque n'a jamais été indépendantiste, qu'il venait du Parti libéral et que son manifeste de 1968, *Option-Québec,* ne prônait rien d'autre que la souveraineté-association. Mais cette démarche ne lui était pas particulière. D'autres ex-libéraux, d'autres fédéralistes sont devenus de véritables indépendantistes. Jacques Parizeau en est le plus bel exemple.

La réponse se trouve peut-être dans une longue entrevue que René Lévesque accordait en 1972 au journaliste Robert McKenzie du *Toronto Star.* Fortement ébranlé par l'arrestation massive de sympathisants du Parti québécois en octobre 1970, René Lévesque avait confié au journaliste : « C'est là que j'ai constaté, devant l'évidence, qu'ils tenteraient n'importe quoi, y compris les attentats à la bombe simulés et autres ruses machiavéliques auxquels peut recourir un pouvoir qui se sent menacé. » Au même moment, il prenait connaissance des projets d'invasion du Québec dans le cadre de l'opération *Neat Pitch* et de la volonté des militaires canadiens de transplanter en sol québécois l'expérience de l'Irlande du Nord. Un an plus tard, c'était le coup d'État au Chili, orchestré par Washington. On imagine facilement que la pression pouvait être considérable sur les épaules de Lévesque. Aussi quand Claude Morin lui offre une porte de sortie, il s'empresse de s'y engouffrer. L'étapisme lui permet, à lui aussi, de « gagner du temps », afin d'éviter l'affrontement meurtrier qu'il pensait inévitable.

On peut également émettre l'hypothèse que René Lévesque savait depuis longtemps – sans en connaître nécessairement les modalités – que Claude Morin entretenait des liens avec les services secrets canadiens et qu'il y voyait le canal par lequel il pourrait éventuellement négocier la souveraineté-association – ou un quelconque statut particulier pour le Québec – avec le gouvernement fédéral.

□

Le fil des événements que nous venons de décrire – établi à partir de faits connus – met pour la première fois en lumière le rôle central de Claude Morin et de son « réseau » au sein du Parti québécois. Avec une habileté machiavélique, empruntant la stratégie des petits pas, Morin a réussi à infléchir la trajectoire du Parti québécois, modifier son programme et transformer sa base sociale pour satisfaire les objectifs politiques de ses commanditaires canadiens et américains.

Cependant, ce récit révèle également l'extraordinaire faiblesse de la gauche au sein du Parti québécois. Certes, elle peut faire adopter des politiques progressistes (loi 101, loi anti-scab, loi sur l'assurance-automobile et plusieurs autres), mais elle est totalement absente du grand débat stratégique sur la souveraineté. Un peu comme les militants maoïstes trop occupés par la lutte économique et syndicale pour s'intéresser aux positions politiques stratégiques de leurs organisations, les ministres péquistes de gauche consacrent tellement toutes leurs énergies à la gestion de leur ministère – c'est-à-dire à être un « bon gouvernement » – qu'ils en oublient la raison d'être de leur parti.

Quand arrive le référendum de 1980, l'influence de la gauche est sapée depuis longtemps. Déjà, lors du célèbre affrontement de l'auberge Handfield de 1976, lorsque Robert Burns somme Lévesque de respecter le fait que le Parti québécois est un parti de coalition et remet en question son leadership, il sait pertinemment que la partie est jouée. Lévesque ne se gêne d'ailleurs pas pour inviter ses opposants à en découdre devant le congrès du parti. Le déclenchement précipité des élections fait en sorte que l'affrontement n'a pas lieu. Mais la marginalisation de la gauche se poursuit. Le débat national occulte bientôt complètement le débat social. Parizeau remplace Burns comme principal opposant à Lévesque.

Harcelé et placé sur la défensive par l'extrême-gauche maoïste dans les organisations syndicales et populaires, la gauche péquiste se montre incapable de produire ses propres analyses, d'élaborer une stratégie et des tactiques originales. Elle se retrouve souvent à appuyer Parizeau dans le débat national, mais est inconfortable avec ses positions sociales. Elle n'a pas de position propre. Finalement, elle n'a d'autre choix – tout comme Parizeau – que de se mettre à la remorque de la stratégie proposée par le tandem Morin-Lévesque. Quand cette stratégie se révèle un échec, elle n'a pas d'alternative à proposer.

CHAPITRE 6

PAUL DESMARAIS
ET L'ORBITE CANADIENNE

L A STRATÉGIE du gouvernement fédéral pour contrer le mouvement souverainiste se déployait sur plusieurs fronts. D'une part, il fallait « gagner du temps » et édulcorer le projet péquiste. Ce à quoi s'employa Morin. D'autre part, il fallait détacher certaines forces sociales de l'influence péquiste pour les amener dans l'orbite fédérale ou, tout au moins, les neutraliser. Dans le collimateur du fédéral, figuraient bien entendu les milieux d'affaires québécois.

Au cours de la période comprise entre l'arrivée au pouvoir du Parti québécois en 1976 et le référendum de 1980, allaient se conclure une série de transactions financières au bénéfice de l'élite économique du Québec de façon à ce qu'elle se prononce contre le projet péquiste ou se contente de la recherche d'un statut particulier comme Claude Morin et René Lévesque allaient bientôt le proposer. Au cœur de ces transactions financières, nous retrouvons un autre personnage clé de l'époque, le financier Paul Desmarais, dont le rôle est plus complexe qu'il n'y paraît à première vue.

Les premières interventions politiques musclées de Paul Desmarais remontent au milieu des années 1960. En 1966, Daniel Johnson fait campagne sur le thème *Égalité ou indépendance*, titre d'un livre qu'il venait de publier et dans lequel il réclamait pour le Québec 100 % des impôts sur les profits des sociétés, 100 % des impôts des particuliers et 100 % aussi des impôts sur les successions. De telles revendications équivalent, à toutes fins pratiques, à une déclaration d'indépendance. Johnson est élu grâce à la division du vote libéral par le Rassemblement pour l'indépendance nationale (RIN) qui récolte 6 % des suffrages. Johnson avait conclu une entente secrète avec Pierre Bourgault en vertu de laquelle les deux concentreraient leurs critiques sur le Parti libéral de Jean Lesage et éviteraient de s'en prendre l'un à l'autre.

L'année suivante, le « Vive le Québec libre » du Général De Gaulle dramatise la situation et jette la panique dans les rangs fédéralistes. Daniel Johnson est invité à aller encore plus loin par de Gaulle qui, dans une lettre manuscrite que ce dernier lui a fait porter, écrit : « On ne peut plus guère douter que l'évolution va conduire à un Québec disposant de lui-même à tous égards. C'est donc – ne le pensez-vous pas ? – le moment d'accentuer ce qui est déjà entrepris. Il faut des solutions », dit encore le général, offrant le soutien de la France à cette « grande opération nationale de l'avènement du Québec ».

Tout cela en était trop pour Ottawa et les fédéralistes. Dans sa biographie de Daniel Johnson, le journaliste Pierre Godin raconte comment la contre-attaque s'est orchestrée. Pendant que Daniel Johnson prenait à la fin du mois de septembre 1967 des vacances à Hawaï, les journaux de Power Corporation commencent à faire état d'une désastreuse fuite de capitaux. Charles Neapole, le président de la Bourse de Montréal, confirme l'information mais sans donner de chiffres. Des dirigeants de la Banque de Montréal, de la Banque Royale et du Trust de Montréal harcèlent chaque jour le ministre des Finances Paul Dozois de leurs appels alarmistes. « Money is leaving the province », clament-ils. C'était évidemment faux, comme l'a révélé plus tard Jacques Parizeau en vérifiant les transactions financières au cours de cette période.

Au même moment, Paul Desmarais et Marcel Faribault président du Trust Général et membre du conseil d'administration de Power Corporation, accompagnés d'un journaliste de *La Presse,* prennent l'avion pour Hawaï afin de « mettre Johnson au courant de la fuite de capitaux ». Profitant du climat de panique qu'ils viennent artificiellement de créer, ils convainquent Daniel Johnson d'effectuer un « recul stratégique » pour rassurer les milieux financiers. Ils lui font signer une déclaration qui sera reproduite le lendemain en première page de *La Presse* sous le titre suivant : « Pas de muraille de Chine autour du Québec ». Immédiatement, le premier ministre canadien Lester B. Pearson se réjouit de la déclaration et Pierre Elliott Trudeau, alors ministre de la Justice, déclare que « le document d'Hawaï rejoint la politique d'Ottawa ».

À Hawaï, Paul Desmarais obtient aussi la nomination de Marcel Faribault au poste de « conseiller spécial » du premier ministre Johnson en matière constitutionnelle et économique et celle de Charles Neapole à la Caisse de dépôt.

À la conférence constitutionnelle qui suit, Daniel Johnson ne fait mention ni d'indépendance, ni d'égalité, ni de rapatrier 100 % des impôts. Il parle plutôt de fédéralisme renouvelé et de nouvelle constitution au grand étonnement des autres premiers ministres et de la presse. À la grande déception du Général de Gaulle, Daniel Johnson ne reparla plus jamais d'indépendance et on raconte même que Paul Desmarais a conservé jalousement comme trophée de chasse l'original de la déclaration de Hawaï.

Le sort de Daniel Johnson étant réglé, les gens de Power Corporation pouvaient maintenant s'occuper de celui de René Lévesque qui voulait pousser le Parti libéral, dont il était ministre, à endosser ses thèses sur la souveraineté-association. L'attaque fut menée au congrès du Parti libéral par le ministre Eric Kierans et le premier ministre Jean Lesage. René Lévesque se retira du congrès avant d'être exclu du Parti libéral et il mettra sur pied quelques mois plus tard le Mouvement souveraineté-association (MSA). Après son retrait de la vie politique, Jean Lesage fut pour sa part invité à siéger au conseil d'administration de Power Corporation.

Au même moment, Desmarais organise la course de Pierre Elliott Trudeau à la chefferie du Parti libéral et son élection à la tête du pays le 25 juin 1968, le lendemain de l'émeute de la

Saint-Jean-Baptiste. Avec Trudeau aux commandes, l'objectif est de réprimer l'agitation politique et sociale au Québec, mais également de mettre fin au mouvement de décentralisation de la fédération canadienne que le pays avait connu sous l'administration de Lester B. Pearson. Les milieux d'affaires du Canada anglais en avaient tiré la conclusion suivante : la politique des concessions au Québec pratiquée par le gouvernement Pearson, plutôt que de freiner le développement du mouvement de revendications au Québec, a attisé ses appétits. Il était temps de renverser la vapeur et de passer, avec un gouvernement Trudeau, à la répression – les mesures de guerre en Octobre 1970 – et à une politique centralisatrice.

Si Paul Desmarais sait manier le bâton, il peut aussi offrir la carotte. Entre l'élection du Parti québécois en 1976 et le référendum de 1980, il agit comme plaque tournante d'une série de transactions financières qui vont lier les intérêts des milieux d'affaires nationalistes québécois au destin du Canada anglais.

Un peu d'histoire est nécessaire pour comprendre les dessous de ce qui va se passer entre 1976 et 1980. Vers la fin des années 1950, une alliance s'est forgée au sein du Parti libéral entre des hommes d'affaires québécois et la Banque Royale pour déloger du pouvoir la vieille coalition de la Banque de Montréal et de l'Église catholique qui dominent alors la société québécoise par l'intermédiaire de l'Union nationale de Maurice Duplessis. En fait, cette alliance a pris forme durant la Deuxième guerre mondiale avec les liens qui se sont tissés entre la puissante Banque Royale et la famille Simard de Sorel qui s'était vu octroyer de très généreux contrats fédéraux pour ses chantiers maritimes.

Au cours des années 1960, la coalition s'élargit pour inclure d'autres secteurs de la classe d'affaires québécoise. C'est alors que la Banque Royale s'entend avec la Banque Canadienne Nationale pour créer en 1963 RoyNat, une société spécialisée dans les prêts aux entreprises.

La nationalisation de l'électricité en 1962 est un excellent théâtre pour voir à l'œuvre les groupes d'intérêt qui continueront à s'affronter par la suite. Les dirigeants de Power Corporation, groupe lié à la Banque Royale et qui détenait la majeure partie des installations visées, n'étaient pas opposés au principe de la nationalisation. Le taux de profit du secteur de l'électricité était tombé entre 2 % et 6 % et le gouvernement offrait de payer 20 % de plus que la valeur réelle des actions. L'entente fut conclue et l'argent encaissé a servi à édifier l'empire que l'on connaît.

L'opposition venait des cadres anglophones des compagnies visées – qui savaient que la nationalisation signifiait leur remplacement par des francophones – et du syndicat financier A.E. Ames et Co. Ltd, lié à la Banque de Montréal. Cette opposition musclée s'exprima au sein du cabinet Lesage par l'intermédiaire de George Marler, membre du Conseil législatif (le défunt sénat provincial composé de non-élus), qui représentait officieusement à Québec les intérêts de la rue Saint-Jacques.

Le syndicat financier contrôlait les emprunts du gouvernement du Québec depuis la chute du gouvernement d'Honoré Mercier à la fin du siècle dernier. Mercier, qui avait pris le pouvoir dans la foulée de l'immense réaction nationaliste qu'avait suscitée au Québec la pendaison de Louis Riel, avait tenté de détacher le Québec du giron des milieux financiers canadiens en empruntant auprès de financiers français, belges et états-uniens. La Banque de Montréal et ses acolytes provoquèrent la chute de Mercier, à la faveur d'un scandale, et reprirent le contrôle des finances de la province.

En 1962, lorsque le syndicat financier A.E. Ames et Co. Ltd voit qu'une maison de courtage états-unienne s'offre pour rassembler les capitaux nécessaires à la nationalisation de l'électricité, il comprend ce qui se trame. Plutôt que de tout perdre, il change son fusil d'épaule, met fin à son opposition et s'associe à la First Boston Bank pour fournir les capitaux. Une alliance entre des intérêts québécois, la Banque Royale et des banquiers de la côte est des États-Unis, avait réussi à contrer l'opposition des intérêts traditionnels de la rue Saint-Jacques.

La nationalisation de l'électricité met fin au pouvoir d'entreprises anglo-saxonnes qui s'étaient jusqu'alors partagé le territoire du

Québec en autant de petits fiefs qui freinaient son développement économique. Au nombre de ceux qui avaient réclamé à hauts cris la nationalisation, on retrouve, bien entendu, des entreprises québécoises en pleine croissance dans le contexte des années de prospérité de l'après-guerre. Au premier plan d'entre elles, il y a le Mouvement Desjardins. En 1960, le mouvement des Caisses populaires dépasse en importance les deux banques canadiennes-françaises : la Banque Canadienne Nationale et la Banque Provinciale. Alliés dans le cadre de la nationalisation de l'électricité, les intérêts de Desjardins et du groupe dirigé par la Banque Royale vont rapidement s'entrechoquer. La crise au sein du Parti libéral entre les fédéralistes et les nationalistes, personnifié par l'affrontement entre Jean Lesage et René Lévesque, en est l'expression politique.

Avec la fondation du Parti québécois, après l'exclusion de Lévesque du Parti libéral, le Mouvement Desjardins a désormais son propre véhicule politique. Il faut lire *Option-Québec*, le document fondateur du Parti québécois, le manifeste *Quand nous serons vraiment maîtres chez nous* et les différents programmes du parti, pour constater jusqu'à quel point les intérêts du Mouvement Desjardins y sont bien représentés.

Dès cette époque d'ailleurs, le Mouvement Desjardins, protégé de toute prise de contrôle hostile par son statut de coopérative, fonctionne comme une banque. Il contrôle 25 % du capital-action de la Banque Provinciale et une série d'autres institutions financières comme la Sauvegarde, l'Assurance-vie Desjardins, la Sécurité, la Société d'assurance des Caisses populaires, la Fiducie du Québec. Il est aussi impliqué dans le secteur industriel par le biais de la Société d'investissement Desjardins et le Crédit industriel Desjardins. Par l'intermédiaire de ces institutions, il contrôle ou possède d'importants intérêts dans Culinar, Canam-Manac, Sico, Treco et une série de petites et moyennes entreprises. En assurant le financement des PME, Desjardins les regroupe, les concentre. Culinar, par exemple, contrôle la pâtisserie Vachon, les produits Diamant, les biscuits David, etc.

En 1976, la victoire du Parti québécois est aussi la victoire du Mouvement Desjardins. Rapidement, le nouveau gouvernement amende la charte de la Caisse de dépôt de façon à rendre obligatoire la représentation au conseil d'administration d'un dirigeant du mouvement coopératif. Des membres de Desjardins sont aussi nommés aux conseils d'administration de plusieurs sociétés d'État avec les bénéfices qu'on imagine. Par exemple, la Société québécoise d'initiative agro-alimentaire (SOQUIA) fait d'importants investissements dans Culinar.

Manifestement, le rapport de forces se transforme dans le milieu des affaires avec les politiques linguistiques et économiques du Parti québécois. C'est alors qu'entre en jeu Paul Desmarais. Peu après les élections de

1976, il invite Michel Bélanger, le p.d.-g. de la Banque Provinciale et Rolland Giroux, un ancien dirigeant d'Hydro-Québec et un des principaux artisans de la nationalisation, à venir siéger au conseil d'administration de Power Corporation où se trouve déjà Daniel Johnson Jr, le fils de l'ancien premier ministre, et dont le frère Pierre-Marc fait partie du cabinet péquiste.

Puis Desmarais tisse une nouvelle toile économique où vont s'entremêler ses intérêts et ceux des groupes financiers québécois. Power Corporation cède la Laurentide Finance à la Banque Provinciale, ce qui permet à cette dernière d'envisager de pouvoir étendre son réseau de succursales à travers le Canada. Desmarais cède à la Laurentienne la compagnie d'assurances Imperial Life installée au Canada anglais. Mais la pièce de résistance est la fusion de la Banque Canadienne Nationale et de la Banque Provinciale pour créer la Banque Nationale où les intérêts de Power Corporation et du Mouvement Desjardins se trouvent désormais entrelacés. En effet, Power Corporation et le Mouvement Desjardins sont les deux principaux actionnaires de la nouvelle institution avec respectivement 7 % et 11 % des actions.

La genèse de cette dernière transaction est fort instructive. En 1977, les Caisses populaires mettent la main sur 12 % du capital-action de la Banque d'Épargne. La rue Saint-Jacques flaire rapidement la possibilité d'une fusion entre la Banque d'Épargne et la Banque Provinciale qui est contrôlée à 25 % par Desjardins. La fusion créerait une nouvelle banque francophone avec un actif de 5 milliards de dollars qui talonnerait la Banque Canadienne Nationale. Pour confirmer les inquiétudes des financiers de la rue Saint-Jacques, le ministre des Finances Jacques Parizeau déclare au même moment : « Il ne serait pas mauvais de regrouper les avoirs fermes des Québécois. » Il n'en fallait pas plus. La contre-offensive s'organise rapidement autour de la Banque Canadienne Nationale, liée depuis 1963 à la Banque Royale. En une seule journée, des blocs entiers d'actions changent de mains, provoquant la réorganisation complète de l'organigramme de la Banque d'Épargne de façon à empêcher sa prise de contrôle par le Mouvement Desjardins. Finalement, après bien des péripéties, la Banque Provinciale fusionnera plutôt avec la Banque Canadienne Nationale pour former la Banque Nationale. Quant au contrôle de la Banque d'Épargne, il passera entre les mains de la Laurentienne qui s'associera de plus en plus au groupe de Power Corporation.

D'autres institutions financières québécoises ont aussi leur part du gâteau. Le Trust General, dont la Banque Nationale et la Laurentienne détiennent 28 % des actions – la Banque Nationale et la Laurentienne ont sept administrateurs en commun –, fait l'acquisition de Sterling Trust, une institution financière ontarienne. Le groupe Prenor, dont la Caisse de dépôt et la Banque Nationale sont les deux principaux actionnaires, crée une filiale à Vancouver, Paragon Insurance Co. La Banque d'Épargne, dont la Banque Nationale et la Laurentienne détiennent respectivement 18 % et 20 % des actions, fait l'acquisition du Crédit Foncier Franco-Canadien – une entreprise contrôlée par la Banque de Paris et des Pays-Bas avec laquelle Desmarais est en relations d'affaires, ce qui lui permettra d'étendre son réseau de succursales à travers le Canada.

D'autres transactions sont dignes de mention. La Caisse de dépôt prend le contrôle de Domtar avec l'aide de Paul Desmarais. Provigo acquiert M. Loeb. Sodarcan, la compagnie d'assurances contrôlée par la famille Parizeau, achète Dale-Ross Holdings Ltd, dont la fusion avec la plus grande compagnie mondiale d'assurances et de courtage, l'américaine Mars S. McLennan, a été bloquée par le gouvernement fédéral en vertu de la loi sur le tamisage des investissements étrangers.

C'est donc sans grande surprise qu'on a pu lire dans les journaux de l'époque cette déclaration de Marcellin Tremblay, président des Prévoyants, une filiale du groupe Prenor : « Paul Desmarais et Alfred Rouleau (le p.d.-g. du Mouvement Desjardins) se rejoignent dans ce qu'ils veulent faire du Québec. »

Désormais, les portes qui leur avaient toujours été fermées au Canada anglais semblent enfin s'ouvrir comme par magie pour les plus importants groupes financiers québécois. Le Mouvement Desjardins, la Banque Nationale, la

Banque Laurentienne et la Banque d'Épargne envisagent de pouvoir se développer d'un océan à l'autre.

Cette nouvelle alliance économique et financière devait trouver son expression politique. Le Parti québécois, qui avait flirté avec les États-Unis et laissé entrevoir que l'alliance projetée pourrait en être une nord-sud, change subitement d'orientation. Le gouvernement Lévesque annonce son intention de mettre un frein au développement de nouveaux barrages hydro-électriques et à la vente d'électricité aux États-Unis, au profit du gaz naturel albertain et de la vente d'électricité aux autres provinces. À la faveur d'un remaniement ministériel, le ministre de l'Industrie et du Commerce, Rodrigue Tremblay, est destitué et il quitte le Parti québécois pour siéger comme indépendant. Économiste, Rodrigue Tremblay s'était fait connaître par la publication d'un livre prônant un marché commun Québec-États-Unis. Le nationaliste canadien Eric Kierans – le même qui avait orchestré l'expulsion de René Lévesque du Parti libéral – est nommé pour siéger au conseil d'administration de la Société générale de financement.

Pour tous ceux qui savent décoder ces décisions politiques, le message est clair : le Parti québécois délaisse l'option états-unienne pour une nouvelle alliance avec le Canada anglais, plus précisément avec l'Ontario. Le Québec offre à l'Ontario une entente « d'égal à égal » pour contrer les plans de balkanisation du

Canada qui se retrouvent dans le programme du Parti conservateur et dans le Livre beige du Parti libéral de Claude Ryan.

L'offre n'est pas nouvelle. Déjà, en 1967, lors du célèbre voyage en train qui devait l'amener à Banff et qui marquerait sa conversion à l'option indépendantiste, Jacques Parizeau avait déclaré aux hommes d'affaires canadiens-anglais que la seule façon de freiner la balkanisation du Canada était d'accepter les revendications du Québec. Il dénonçait le mouvement de décentralisation au Canada en faveur des provinces et le fait « de vouloir traduire dans la constitution le mouvement de décentralisation de notre politique économique et sociale que, selon moi, nous avons déjà poussé trop loin ». Pour Parizeau, la seule façon de remédier à la situation était de donner satisfaction aux revendications du Québec, car « les difficultés viennent du Québec et de nulle part ailleurs ». Ce qui était faux, mais envoyait le signal que le Québec était prêt à s'allier à l'Ontario contre les provinces de l'Ouest. Pour bien signifier qu'il partageait cette opinion, Lévesque a reproduit à l'époque ce discours en annexe d'*Option-Québec*. Quelques années plus tard, dans le Livre blanc sur la souveraineté-association, la même thèse est reprise avec l'affirmation que « l'accroissement des pouvoirs et de l'influence du gouvernement central répond aux aspirations de la communauté canadienne-anglaise ».

Quelle forme pourrait prendre cette alliance ? Lévesque et Morin l'ont énoncé lors d'une rencontre à huis-clos avec une quarantaine de consuls généraux de divers pays peu avant la tenue du référendum. Par le plus curieux des hasards (!), le procès-verbal de cette rencontre est parvenu à *La Presse* et au *Devoir* qui en ont reproduit des extraits dans leur édition du 1er février 1980.

Selon les reportages parus dans les journaux, Lévesque aurait déclaré, en faisant référence aux propositions contenues dans le Livre blanc sur la souveraineté-association, que « la parité est absolument essentielle pour les institutions politiques », mais il s'empressait d'ajouter « au moins pour la période de démarrage ». Il ajoutait qu'il serait par la suite « possible d'apprendre avec le temps à pondérer, mais en réservant les intérêts essentiels ou les choses vraiment fondamentales des partenaires ».

Claude Morin déclara devant le corps consulaire qu'il était fort possible que le second référendum n'ait jamais lieu. Selon Morin, un deuxième référendum ne serait nécessaire que dans l'éventualité d'un succès total ou d'un insuccès total des négociations. « Il se pourrait, déclara-t-il, que de ces négociations ne résultent que des aménagements qui prendraient la forme de transferts de pouvoirs vers le Québec ». Dans un tel cas, de poursuivre Morin, « un gouvernement du Parti québécois ne se trouverait pas alors obligé de tenir un référendum pour faire approuver ces transferts » parce que « l'engagement à tenir un deuxième référendum ne vaut que si un changement de statut politique doit intervenir pour le Québec. Un tel transfert de pouvoir ne constituerait pas un tel changement ».

Il semble bien que le Mouvement Desjardins était prêt à se satisfaire de ce simple transfert des pouvoirs. Son p.d.-g. Alfred Rouleau déclara qu'« aucun statut politique et aucun mode d'organisation ou de réorganisation de nos relations avec nos partenaires ne sauront effacer les contraintes économiques et culturelles de notre géographie ». Alfred Rouleau tenait compte du fait que les seuls actifs de la Banque Royale dépassaient l'ensemble des actifs de toutes les institutions financières québécoises réunies. C'est sans doute cette position qu'exprimait également René Lévesque lorsqu'il parlait de « pondérer la parité » dans les institutions politiques. La proposition d'entente s'appelait « D'égal à égal », mais il semble bien que pour Lévesque, Morin et Rouleau le principe de l'égalité des nations pouvait souffrir d'une entorse étant donné la force économique respective des deux partenaires.

Le Canada anglais ne voulut rien savoir de la nouvelle entente proposée par le Parti québécois. Le Canada a été créé et s'est développé sur la base de l'oppression du Québec et il pensait pouvoir continuer à le faire. Tout fut mis en œuvre – propagande, intimidations, mensonges – pour faire échouer le référendum péquiste et profiter de la défaite du Québec pour centraliser les pouvoirs à Ottawa à la faveur du rapatriement de la Constitution et l'inclusion de la Charte des droits et libertés.

Paradoxalement, Paul Desmarais écope également de la défaite référendaire. Il avait mis son empire de presse au service du camp du *Non* et il pensait sans doute pouvoir toucher une récompense à la mesure des services rendus lorsqu'il envisage de réaliser son vieux rêve de jeunesse, prendre le contrôle de la plus grosse corporation au Canada, le Canadien Pacific. Pour arriver à ses fins, Desmarais s'allie à la Caisse de dépôt du Québec à qui il venait de céder le contrôle de la papetière Domtar. Desmarais avait besoin de l'aide de la Caisse, parce qu'il avait été contraint de signer un accord en vertu duquel il s'engageait à ne pas détenir plus de 15 % des actions du Canadien Pacific. Mais Desmarais pouvait être délié de cet accord si un autre actionnaire parvenait à détenir plus de 10 % des actions. Desmarais sait pertinemment que seule la Caisse de dépôt peut franchir ce cap et c'est ce qu'il lui demande en échange de Domtar. Mais quand la Caisse s'approche à quelques décimales du 10 % fatidique, la direction du Canadien Pacific – dont le président du conseil d'administration est Ian Sinclair, le beau-père de Pierre Elliott Trudeau – tire la sonnette d'alarme et ameute Bay Street. Le gouvernement fédéral est contraint par les milieux financiers ontariens de déposer un projet de loi sur la limitation de la propriété des actions de sociétés, mieux connu sous le nom de S-31, qui vise spécifiquement la Caisse de dépôt sans la nommer. Toute la communauté financière québécoise s'indigne et se mobilise contre le projet de loi. Mais Desmarais capitule et abandonne son rêve de prendre le contrôle du Canadien Pacific. Le projet de loi S-31 est retiré. Desmarais se voit offrir, à titre de mesure compensatoire, un deuxième siège au conseil d'administration de l'entreprise. Éconduit pour la deuxième fois par l'élite financière canadienne – la première lors de sa tentative ratée de prise de contrôle d'Argus Corporation –, Desmarais s'éclipsera quelque peu de la scène économique et politique canadienne au cours des années subséquentes pour concentrer ses activités en Europe où il se taillera un immense empire, avant de revenir plus tard avec son poulain Jean Chrétien qu'il portera à la tête du Parti libéral.

□

Le bâton et la carotte est une formule éprouvée en politique. Les Mesures de guerre et l'intimidation fédérale ont forcé René Lévesque et l'élite québécoise à tendre l'oreille aux conseils « stratégiques » de Claude Morin. Pendant ce temps, Morin isolait la gauche au sein du Parti québécois, avec la collaboration des services secrets. Le report en fin de mandat du référendum permettait une transformation radicale de la base sociale du Parti québécois, de façon à faire accepter une démarche par étapes qui repoussait le référendum sur la souveraineté à un deuxième mandat, donnant

244

ainsi trois chances aux forces fédéralistes de défaire le camp souverainiste.

Pendant que Morin manoeuvrait avec dextérité, Paul Desmarais remplissait la besace des principaux hommes d'affaires québécois en leur faisant miroiter la possibilité d'étendre leurs activités à la grandeur du Canada. Le message était clair : la menace de la souveraineté était bénéfique, mais sa réalisation serait néfaste. Notre élite était maintenant prête à croire Trudeau qui promettait de mettre sa tête sur le billot pour une réforme constitutionnelle dont on pensait qu'elle rencontrerait les demandes historiques du Québec. La plupart de nos hommes d'affaires se rangèrent donc dans le camp du *Non* dans l'espoir de lendemains qui chantent. Le réveil sera brutal.

Le mouvement nationaliste québécois – comme tout mouvement national – représente différents intérêts de classe souvent antagonistes. Bien que l'oppression nationale frappe toutes les classes de la société – à des degrés divers, bien entendu –, les appétits de certaines classes ou couches sociales peuvent être rassasiés plus facilement et à moindre coût que d'autres. C'est d'ailleurs toujours la stratégie de la classe dirigeante de la nation dominante de faire des concessions à ses « junior partners » de la nation dominée. La plupart du temps, la classe dominante cherche également à corrompre une partie des milieux intellectuels et de la petite-bourgeoisie au moyen de bourses, de prix et d'honneurs.

Cette mécanique est bien comprise par l'élite économique et une bonne partie de l'élite intellectuelle québécoises qui savent habilement jouer les vierges offensées pour arracher des concessions à Ottawa. Leur démarche peut même prendre la forme de revendications constitutionnelles dont leurs adversaires fédéralistes leur feront rapidement comprendre qu'elles ne doivent pas provoquer de rupture entre le Canada et le Québec.

En fin de compte, seules les classes ouvrière et populaires, qui constituent la très grande majorité de la population, ont intérêt à mettre radicalement fin à l'ordre social existant. C'est pour cela que la revendication d'indépendance nationale assortie d'un projet de société social-démocrate est prometteuse de la mobilisation la plus large et la plus conséquente. Mais encore faut-il que soit élaboré ce programme et qu'il soit porté par une direction politique autonome, ce qui a jusqu'ici fait défaut.

CHAPITRE 7

L'APRÈS RÉFÉRENDUM DE 1980

LES DIX ANNÉES écoulées entre 1972, date de la parution de *Pour le Parti prolétarien* et l'adhésion au Parti québécois de Claude Morin, et 1982, année de la dissolution des groupes maoïstes et de la démission de Claude Morin, vont laisser une trace indélébile dans l'histoire du Québec et, plus particulièrement, de la gauche québécoise. Avant d'en tirer les leçons appropriées, il n'est pas sans intérêt de brosser un bref tableau des événements marquants de l'après-référendum de 1980 et de l'évolution des principaux intervenants, personnages, institutions et gouvernements.

Les années 1980 sont le théâtre d'un bouleversement profond de la scène politique internationale, marqué du triomphe d'un nouveau discours idéologique. Le tout débute avec l'élection de Margaret Thatcher en 1979 et de Ronald Reagan en 1980. La Guerre froide et la course aux armements vont s'intensifier jusqu'à l'écroulement du Mur de Berlin en 1989 et la désintégration de l'Union soviétique. Sur la scène intérieure, l'attaque est menée de front contre les organisations syndicales. Thatcher tient tête sans rien céder au puissant syndicat des mineurs et Reagan congédie les contrôleurs aériens. Le ton est donné et plusieurs pays appliqueront la même médecine. Au plan idéologique, c'est la fin de l'État-Providence et l'irruption brutale du néolibéralisme avec son cortège de privatisations et de déréglementations.

Le Canada n'échappe pas à ce vent de droite. Le 4 septembre 1984, le Parti progressiste-conservateur de Brian Mulroney est porté au pouvoir avec l'appui de René Lévesque et du Parti québécois. Il défait le Parti libéral dirigé par John Turner, lequel avait devancé Jean Chrétien lors de la course à la chefferie décrétée pour remplacer Pierre Elliott Trudeau. La défaite de Chrétien est une rebuffade pour Paul Desmarais. Les liens serrés entre Desmarais et Chrétien sont bien connus. Le fils de Desmarais a épousé la fille de Jean Chrétien et l'organisateur de la campagne de Chrétien est nul autre que John Rae, vice-président de Power Corporation (et frère de Bob Rae, le futur premier ministre de l'Ontario).

La défaite est d'autant plus amère pour Desmarais que John Turner est un de ceux qui ont mené la charge contre sa tentative de prise de contrôle du Canadien Pacific. John Turner a été ministre de la Justice sous le gouvernement Trudeau, mais a quitté la politique en 1975 pour siéger aux conseils d'administration de certaines des plus importantes corporations établies au Canada. En plus du Canadien Pacific, mentionnons MacMillan Bloedel, Seagram Co., Crédit Foncier, Holt Renfrew, Sandoz, Canadian Investment Fund Inc, et Bechtel Corporation. John Turner est un ami intime et un des principaux conseillers juridiques du financier Conrad Black, qui a pris le contrôle d'Argus Corporation après la tentative infructueuse de Paul Desmarais en 1975. La femme de Turner est une filleule du père de Conrad Black et Turner siège, aux côtés de Black, au conseil d'administration de Massey-Ferguson.

À l'élection fédérale de 1984, John Turner est le candidat de Conrad Black. Mais son adversaire, Brian Mulroney, est aussi un poulain de Black. Avant son entrée en politique, Mulroney était président de l'Iron Ore, une filiale de Hollinger Mines, propriété de Conrad Black. Il était donc un employé de Black. Mulroney siège également sur plusieurs des corporations de Black et le côtoie au conseil d'administration de la Banque canadienne impériale de Commerce.

Conrad Black a ses entrées auprès de Ronald Reagan et de Margaret Thatcher. Il s'est d'ailleurs porté acquéreur du *Telegraph* de Londres pour soutenir les politiques de la Dame de fer. Il est partisan de la Guerre des étoiles de Reagan et prône l'intégration économique et politique du Canada aux États-Unis. Conrad Black déclare que la frontière entre les deux pays n'est pour lui qu'un « accident géographique ».

De la monumentale biographie qu'il a consacrée à Maurice Duplessis, Black a tiré la leçon que le Parti progressiste-conservateur ne peut prendre le pouvoir qu'avec l'appui des nationalistes québécois et, de préférence, avec un chef originaire du Québec. En 1976, une première tentative, infructueuse, est faite en ce sens alors que Black parraine la candidature de Claude Wagner – l'ancien ministre libéral de Jean Lesage – dans la course à la chefferie qui se termine par la victoire de Joe Clark. Quelques années plus tard, Black prend une douce revanche avec Mulroney.

À l'élection de 1984, Conrad Black ne peut pas perdre. John Turner et Brian Mulroney sont deux poulains de son écurie et ils défendent essentiellement le même programme politique : privatisations, déréglementations et intégration économique aux États-Unis. Une victoire des conservateurs est toutefois préférable pour Black, car John Turner aurait inévitablement dû faire face aux trudeauistes. Le gouvernement Mulroney, nouvellement élu, est véritablement un gouvernement Conrad Black. Au sein du premier cabinet Mulroney, on retrouve aux postes clefs d'autres anciens employés de Conrad Black, notamment Michael Wilson, le ministre des Finances, et Barbara McDougall, la ministre d'État aux Finances. Les deux étaient des employés de la firme Dominion Securities, qui appartient à Black.

Sous l'administration de Brian Mulroney, le Canada entreprend un tournant majeur de son histoire en signant un traité de libre-échange avec les États-Unis. La classe dominante au Canada abandonne la *National Policy* et ses tarifs douaniers qui avait présidé à la naissance du pays, met de côté ses velléités d'indépendance à l'égard de son voisin du sud et prône désormais l'intégration dans un bloc économique nord-américain – d'abord avec les États-

Unis, puis avec l'ajout du Mexique dans le cadre de l'ALENA – pour concurrencer le Marché commun européen. Lorsque Jean Chrétien revient au pouvoir en 1993 avec la promesse de « renégocier l'entente de libre-échange », il sera soumis à de telles pressions de la part des États-Unis et de la classe d'affaires canadienne qu'il devra rapidement renoncer à sa promesse.

Conrad Black a aussi comme objectif de trouver une « solution » à la question québécoise et Brian Mulroney dans son célèbre discours de Sept-Iles promet de réintégrer le Québec dans « l'honneur et l'enthousiasme » au sein de la confédération canadienne. La façon dont Conrad Black envisage les relations entre les hommes d'affaires du Canada anglais et du Québec nous donne une bonne idée de ce que sera éventuellement leur transposition au plan politique et constitutionnel.

Dans une entrevue accordée à la revue *L'Analyste* en juillet 1984, Conrad Black explique qu'il a conçu l'idée « d'unir les secteurs privé et public et d'intégrer de plus en plus les institutions québécoises et de l'État du Québec dans l'économie de tout le pays ». C'est dans cette perspective qu'il avait lui-même vendu à Provigo ses magasins Dominion au Québec. Il cite également en exemple la manière dont il s'est associé à la Caisse de dépôt pour assurer le contrôle de la Noranda par Brascan. Mais Black trace les limites de l'influence qu'il concède à la Caisse : « S'il s'agit, déclare-t-il à *L'Analyste*, pour la Caisse de se placer en position d'exercer une certaine influence dans une compagnie, je suis d'accord; s'il s'agit pour la Caisse d'être en position dominante dans une compagnie telle le Canadien Pacific, alors je suis entièrement contre. »

Ces restrictions s'appliquent également aux ambitions éventuelles des hommes d'affaires québécois. « Les industriels sérieux du Canada anglais reconnaissent que c'est essentiel pour la survie du système fédéral – même très renouvelé – que les Québécois francophones participent comme égaux. Michel Bélanger, Laurent Beaudoin, Jean De Grandpré et bien d'autres sont très bien reçus », déclare Black dans un premier temps avant d'enchaîner avec sa conception de « l'égalité ». La méfiance à l'égard des hommes d'affaires québécois au Canada viendrait, affirme-t-il, « de la tentative néfaste de Paul Desmarais de se porter acquéreur d'Argus Corporation ». Mais, bien entendu, la prise de contrôle d'Argus Corporation par Black n'avait, elle, rien de « néfaste ». De façon très claire, Black demande aux hommes d'affaires québécois de rester à la place que Black et la communauté d'affaires canadienne-anglaise leur a assignée.

C'est un statut similaire qu'envisage pour le Québec celui qui avait applaudi à la Loi des Mesures de guerre de Trudeau en 1970 et avait quitté le Québec en claquant la porte lors de l'adoption controversée par le gouvernement de Robert Bourassa de la loi 22 qui reconnaissait le français comme langue officielle du Québec. Ce statut que Black est prêt à consentir au Québec, c'est celui de la « société distincte » tel qu'inscrit dans l'entente du Lac Meech conclue, sous réserve de ratification ultérieure, entre les dix provinces et le gouvernement Mulroney en 1987.

☐

Brian Mulroney n'aurait pu prendre le pouvoir en 1984 sans un virage politique à 180 degrés de René Lévesque et du Parti québécois. Au lendemain de la « nuit des longs couteaux » et du rapatriement de la Constitution par le gouvernement Trudeau, René Lévesque ne décolère pas. Il reconnaît qu'il a commis une erreur stratégique en s'associant à sept provinces anglophones et déclare qu'il veut déclencher une élection qui ne portera que sur la souveraineté. En novembre 1981, il affirme même que « l'idée d'association proposée lors du référendum de 1980 était un accident dans l'existence et le développement de notre parti ».

Cependant, chassez le naturel, il revient vite au galop. À peine un mois plus tard, après avoir été mis en minorité au 8e congrès, en décembre 1981, il organise un référendum interne – le « renérendum » – pour renverser la décision du congrès qui prévoit qu'une victoire électorale obtenue avec une simple majorité des sièges suffira à déclencher le processus qui permettra au Québec d'exercer tous les pouvoirs d'un pays souverain.

L'ascendant de Lévesque sur le Parti québécois est confirmée de façon éclatante. Il gagne facilement son « renérendum » qui prévoit que l'accession du Québec à la souveraineté doit exiger l'accord majoritaire des citoyens, que le programme du parti doit comporter une offre d'association au reste du Canada et reconnaître le droit à la minorité anglophone à ses institutions essentielles. Plus de 143 000 délégués participent au vote et répondent *Oui* dans une proportion de 95 %.

Mais, au 9e congrès en juin 1984, nouveau revirement, les délégués adoptent la résolution suivante : « Un vote en faveur d'un candidat du Parti québécois sera interprété comme un vote en faveur de la souveraineté. » Lévesque se rallie, mais Pierre-Marc Johnson et Clément Richard refusent de le faire.

Quelques semaines plus tard, à la veille de l'élection fédérale, nouveau chambardement spectaculaire. Mulroney et Lévesque s'entendent, par l'entremise de Lucien Bouchard, et le chef du Parti québécois accorde son appui au Parti conservateur. De son côté, dans un discours prononcé à Sept-Iles le 6 août 1984, et écrit par Lucien Bouchard, Mulroney s'engage à réintégrer les Québécois dans le giron canadien « dans l'honneur et l'enthousiasme ». Puis tout va très vite. Quelques jours avant l'élection de Mulroney, le 4 septembre 1984, Lévesque demande un moratoire à ses ministres sur la stratégie électorale et les modalités de la souveraineté. Au Conseil national qui suit l'élection de Mulroney, Lévesque déclare : « Si le fédéralisme devait fonctionner moins mal et même s'améliorer, est-ce que cela ne risque pas d'étouffer un peu notre option fondamentale et de renvoyer la souveraineté aux calendes grecques ? Il y a un élément de risque, mais c'est un beau risque et nous n'avons pas le loisir de refuser. »

C'est cette politique du « beau risque » qui va déchirer le Parti québécois. Rapidement, avec le consentement de Lévesque, Pierre-Marc Johnson brise le moratoire : « Le Québec, déclare-t-il, devra jouer le jeu du fédéralisme coopératif et éviter de mettre de l'avant des revendications inacceptables pour le fédéral. » Le 22 novembre, l'édifice péquiste craque. Sept ministres et trois députés quittent le navire. Au congrès de janvier 1985, les délégués, qui ne représentent plus que 70 000 membres contre 300 000 en 1981, entérinent la nouvelle orientation à 65 %. L'option souverainiste est mise en veilleuse. Cinq cents délégués claquent la porte et formeront le RDI, le Rassemblement démocratique pour l'indépendance. Au moins cinq des onze présidents régionaux et quatre membres de l'exécutif national démissionnent à la suite du congrès.

René Lévesque annonce sa démission comme président du Parti québécois le 20 juin 1985. Il est remplacé par Pierre-Marc Johnson et son programme d'affirmation nationale. C'est un triomphe complet pour Conrad Black. Les souverainistes sont marginalisés. Le Parti québécois est dirigé par le fils de l'ancien chef de l'Union nationale. La boucle est bouclée.

Cependant, le triomphe sera de courte durée. Les libéraux, avec Elijha Harper au Manitoba et Clyde Wells à Terre-Neuve, font échouer à la dernière minute l'entente du Lac Meech. Lucien Bouchard rompt par la même occasion avec Brian Mulroney et fonde le Bloc québécois. Le lendemain de l'échec de Meech, le 24 juin 1990, au défilé de la Saint-Jean-Baptiste à Montréal, des centaines de milliers de personnes manifestent dans une mer de drapeaux fleur-de-lysée.

Le gouvernement Mulroney procède à une nouvelle tentative de réforme constitutionnelle avec l'Accord de Charlottetown. Mais une coalition des trudeauistes et des nationalistes québécois inflige une sévère défaite à Mulroney lors d'un référendum pan-canadien le 26 octobre 1992. Un an plus tard, Jean Chrétien, les libéraux et Paul Desmarais reviennent au pouvoir. Le Parti conservateur est balayé de la carte. Après une tentative infructueuse de créer une alternative autour du Reform Party, Conrad Black lance la serviette après l'élection de Chrétien pour un deuxième mandat. Il vend ses journaux du Québec (*Le Soleil, Le Quotidien, Le Droit,* etc.) à son adversaire de toujours Paul Desmarais. Il se départit également de ses intérêts au Canada anglais, dont le *National Post* qu'il avait lancé principalement pour détrôner Jean Chrétien, et quitte définitivement le Canada pour l'Angleterre où il entre à la Chambre des Lords malgré l'opposition de Jean Chrétien à cette nomination. Chrétien a ressorti une vieille loi canadienne qui donne au gouvernement du Canada un droit de consultation sur les nominations à la Chambre haute britannique.

Paul Desmarais domine à nouveau la scène politique canadienne et redevient très actif au plan économique. Power Corporation fait l'acquistion de la London Life, la Corporation financière Mackenzie et Canada-Vie. En 2003, le *Financial Post* constate qu'« en combinant leurs sociétés de fonds communs et leurs activités dans l'assurance, les Desmarais administrent un actif supérieur à celui de la Caisse de dépôt ». Cela exclut évidemment leurs autres actifs au Canada et en Europe. Les intérêts de Desmarais seront encore bien servis avec le remplacement de Jean Chrétien par Paul Martin à la tête du Parti libéral et du gouvernement. Paul Martin est un ami de Desmarais à qui il doit sa fortune personnelle. C'est en effet Paul Desmarais qui a cédé en 1981 la Canadian Steamship Lines à une association formée de la Federal Commerce and Navigation et de Paul Martin, qui était alors président de la CSL.

Au Québec, le gouvernement Charest est également sous la tutelle de Desmarais. Au départ, il est bien connu que Jean Charest ne voulait pas quitter le Parti conservateur pour faire le saut au Parti libéral du Québec. Le rêve de Charest était de devenir premier ministre du Canada. Mais les fédéralistes voyaient dans

Charest le seul homme capable de combattre les souverainistes au Québec. Aussi, le grand argentier du Parti conservateur, Peter White, l'alter ego de Conrad Black, lui a annoncé qu'il coupait les fonds au Parti conservateur. Black abandonnait le Parti conservateur pour mettre ses œufs – et son argent – dans le Reform Party. Aujourd'hui, l'éminence grise de Charest est nul autre que Daniel Johnson fils, ancien membre du conseil d'administration de Power Corporation.

Au Parti québécois, les événements se sont également bousculés. Défait par Robert Bourassa à l'élection du 2 décembre 1985, Pierre-Marc Johnson doit en 1988 céder sa place à Jacques Parizeau. Le Rassemblement démocratique pour l'indépendance (RDI) est dissous et les souverainistes reprennent le contrôle du Parti québécois. Celui-ci est élu le 12 septembre 1994 et déclenche un nouveau référendum sur la souveraineté à l'automne 1995. Le résultat est de 50,6 % pour le *Non* et de 49,4 % pour le *Oui*.

□

Après l'échec de 1980, les ténors du Parti québécois – toutes tendances confondues – ont effectué un virage majeur en prenant position en faveur du libre-échange avec les États-Unis. Jacques Parizeau reconnaît clairement que l'objectif visé est de lever l'hypothèque de l'association avec le Canada anglais.

Déjà, au lendemain de la défaite référendaire, René Lévesque avait annoncé le changement de cap. Délaissant les Démocrates, considérés jusqu'alors comme des alliés potentiels de la cause souverainiste, mais sans résultats à la hauteur de ces attentes, Lévesque et le Parti québécois se tournent résolument vers les Républicains au pouvoir depuis l'élection de Ronald Reagan.

Dans *L'œil de l'aigle,* Jean-François Lisée écrit que Richard Pouliot, le délégué général du Québec à New York, constate, de ses contacts avec des représentants de l'administration Reagan, que celle-ci prête une oreille bienveillante au discours des provinces canadiennes comme moyen de contre-attaquer Ottawa. Lévesque joue cette carte à fond dans une entrevue à la revue *Barron's.* Lors de la visite qu'il rend, au même moment, au sénateur Jesse Helms, chef de file des conservateurs états-uniens, Lévesque déclare que la nouvelle politique énergétique canadienne est une « idiotie » et que l'Agence de tamisage des investissements est « absurde ». Il ajoute que le projet souverainiste québécois est « compatible avec le maintien sinon l'accroissement des liens économiques et stratégiques avec les États-Unis », ce qui comprend évidemment l'adhésion à NORAD et à l'OTAN.

Les critiques des politiques nationalistes du gouvernement Trudeau sont de la musique aux oreilles des Républicains, mais Bernard Landry apprend à ses dépens que le soutien au libre-échange n'est pas gratifié d'un appui en retour à la souveraineté de la part des autorités états-uniennes. Jean-François Lisée raconte que Landry s'est attiré une réponse cinglante du Département d'État après avoir parlé de négociations à trois dans « un marché commun du Rio Grande à la rivière La Grande ». Le communiqué émis par Washington affirme : « Nous avons noté les remarques récentes d'un ministre de la province de Québec proposant un marché commun Québec-USA-Canada et suggérant qu'un Québec indépendant puisse être « associé » aux États-Unis et au Canada. (...) Il ne serait pas approprié pour le gouvernement des États-Unis de s'engager dans des relations commerciales particulières avec des gouvernements provinciaux de façon spécifique, à l'extérieur de l'ensemble canadien. L'avenir du Canada importe aux Américains, qui espèrent que le Canada restera fort et uni. Nous n'avons pas l'intention de nous immiscer dans les affaires intérieures canadiennes. Nous sommes en droit d'espérer que cette réserve sera respectée par tous les Canadiens. » En termes diplomatiques, constate Lisée, ce n'est pas une rebuffade, c'est une vraie raclée.

Lors du référendum de 1995, les États-Unis réaffirment avec force cette position. Ceux qui croient que l'appui et la promotion du libre-échange avec nos voisins du sud ont rendu l'administration états-unienne plus sympathique à la cause souverainiste devraient lire les mémoires de l'ambassadeur des États-Unis à Ottawa lors du référendum de 1995, parues sous le titre *Behind The Embassay Door, Canada,*

Clinton, and Quebec. L'ambassadeur James J. Blanchard écrit que Washington était beaucoup plus alarmé par la possibilité d'une victoire du *Oui* que ne semblait l'être Ottawa. Blanchard explique comment il a travaillé avec John Rae, vice-président de Power Corporation et un des principaux organisateurs de la campagne du *Non*. La tâche principale de Blanchard était de réfuter l'assertion des souverainistes que les États-Unis n'auraient d'autre choix que d'inclure un Québec indépendant dans l'accord de libre-échange nord-américain. « Il n'y a pas d'automatisme, disait-il, et tout serait à renégocier. »

Dans ses mémoires, Blanchard exprime également la crainte des États-Unis devant le « mauvais exemple » que constituerait l'indépendance du Québec. « Les États-Unis, écrit-il de façon particulièrement abjecte, ne veulent pas que le tribalisme ethnique, dont on peut voir les effets dévastateurs à travers le monde, prenne racine en Amérique du Nord sous la forme d'un Québec séparé. » Dans l'éventualité où cela surviendrait, Blanchard agite le spectre de la partition. « Je pensais aussi qu'il fallait assumer que de grandes parties du territoire québécois, incluant Montréal, la vallée de l'Outaouais, les Cantons de l'Est et les terres des aborigènes au Nord, devraient continuer à faire partie du Canada, étant donné qu'elles avaient voté très majoritairement en faveur du *Non* au référendum et qu'elles ne partageaient pas la vision séparatiste », écrit-il en présentant une carte avec la distribution du vote lors du référendum de 1995.

Rien ne rend mieux compte du mépris de l'administration états-unienne à l'égard du projet souverainiste du Québec, que le compte-rendu que fait Blanchard de la rencontre de Lucien Bouchard, alors chef de l'Opposition officielle à Ottawa, avec le président Clinton lors de sa visite officielle au Canada.

Après avoir présenté la cause souverainiste au président Clinton, Bouchard se tait et attend une réponse. Laissons Blanchard raconter la suite :

« Il y eut une longue pause. Bouchard sembla surpris que Clinton ne dise rien en réponse à ce qu'il venait de dire.

Finalement, Clinton déclara : " Combien y a-t-il de personnes au Québec ? " Bill Clinton n'avait sans doute jamais été aussi silencieux de toute sa vie, mais c'était exactement la chose à faire.

" Sept millions ", avons-nous tous répondu d'une même voix. Puis s'ensuivit un long silence. Raymond (Chrétien) n'ajouta rien. Lake non plus. Je pris alors la parole pour dire : " Je veux vous rappeler que nous vous avons rencontré parce que vous êtes le chef de l'Opposition, et non parce que vous êtes un leader séparatiste. Quand croyez-vous qu'aura lieu le référendum ? "

" Je ne sais pas ", a-t-il répondu. " Il se pourrait que ce soit à l'automne, ou au printemps. Mais si nous le gagnons, mon parti disparaîtra. Il n'aura plus raison d'exister. "

Alors Clinton lui a demandé : " Comment va votre maladie ? "

" Oh, je suis ok ", de répondre Bouchard. " Merci ", ajouta-t-il. Puis il se leva pour s'en aller. »

Ce fut tout ! Le message était clair : vous n'êtes que sept millions et vous faites perdre son temps au président des États-Unis !

Dans différents passages de son livre, Blanchard rend compte de la surprise de fonctionnaires du Département d'État, et même de journalistes du *New York Times,* que le gouvernement canadien ait même laissé le Québec tenir un référendum sur son autodétermination. « La plupart des gens avec qui je parlais, écrit Blanchard, étaient surpris que le Canada permette au référendum de se tenir. Eh bien, leur expliquais-je, ils se sont laissés piégés il y a une dizaine d'années en laissant ce genre de chose se produire. » De ces remarques, on peut conclure que, si le gouvernement états-unien n'est pas lui-même à l'origine de la Loi sur la clarté – qui vise à restreindre le droit du Québec à se prononcer sur son avenir –, on peut être assuré qu'il ne s'y est pas opposé !

□

Pour compléter le tableau de l'après-référendum de 1980, il nous reste à examiner la situation au sein du mouvement syndical et de la gauche. Au début des années 1980, le Québec est frappé de plein fouet par la récession. La production tombe de 6 % et 222 000 emplois sont perdus. Le taux de chômage atteint 14 %. Après avoir jonglé avec l'idée de rouvrir les conventions collectives du secteur public, le gouvernement décide de respecter sa signature, mais impose pour le contrat subséquent des coupures de salaires de 12 % à 20 % et décrète l'ensemble des conditions de travail. Les syndicats expriment leur opposition par des grèves et des manifestations violentes dont le gouvernement viendra à bout avec des lois d'exception munies de sanctions draconiennes. Le député Guy Bisaillon démissionne pour exprimer son opposition et Louise Harel enregistre sa dissidence, mais l'affrontement ne provoque pas de crise au sein du cabinet et du parti comme ce sera, plus tard, le cas avec le « beau risque ». Le Parti québécois scissionne sur la question nationale, mais pas sur la question sociale.

Après les grèves de *La Presse* de 1971 et du Front commun de 1972, les centrales syndicales avaient évolué dans des directions différentes. La FTQ s'était rapproché rapidement du Parti québécois. Jean-Marc Piotte raconte dans son livre *Du combat au partenariat* que « la première réunion du Conseil général de la FTQ qui suit la sortie de prison de Louis Laberge donne lieu à plusieurs débats fort animés. L'orientation alors défendue par Jean Gérin-Lajoie, alors directeur des Métallos du Québec, obtient l'appui de la majorité : le discours de lutte de classes qui avait imprégné le manifeste de la FTQ, *L'État, rouage de notre exploitation,* est mis au rebut et on décide d'aligner dorénavant la politique de la FTQ sur un appui au PQ. Ce réalignement fondamental n'est pas publicisé et il passe alors inaperçu. Lorsque le PQ prend le pouvoir en 1976, la FTQ est prête à collaborer et elle participe avec enthousiasme aux divers sommets de concertation. » Cette nouvelle orientation de la FTQ saute aux yeux de tous, durant le premier sommet socio-économique organisé par le Parti québécois, avec la photo largement publicisée de Louis Laberge avec René Lévesque et... Paul Desmarais. De toute évidence, le conflit de *La Presse* était loin derrière.

La CSN et la CEQ participent avec réticence à ces sommets. L'influence des maoïstes, particulièrement au sein de la CSN, entraînent les deux centrales à une confrontation permanente avec le Parti québécois. L'affrontement sera particulièrement féroce lors des négociations du secteur public en 1979, à la veille du référendum. Avec 320 000 employés représentant 13 % de la main d'œuvre, les négociations du secteur public ont nécessairement un impact économique, social et politique majeur. En 1979, le Parti québécois demande aux syndicats de la retenue en publiant des statistiques selon lesquelles 90 % des salariés de l'État gagnent plus que ceux du privé, avec un écart moyen de 20 % en leur faveur. On rappelle aussi aux centrales syndicales qu'après avoir pris le pouvoir, le gouvernement Lévesque a annulé les 8 000 pénalités imposées par la loi 23 de Robert Bourassa, au printemps 1976, pour briser le mouvement de grèves.

Mais les syndicats maintiennent leurs demandes, dont la plus médiatisée est un salaire minimum de 265 dollars par semaine, ce qui représente une hausse de 33 %. Ils déclenchent trois débrayages illégaux avant même le dépôt des offres et des débrayages en rafales par la suite. Ils sabotent la présentation du Livre blanc sur la souveraineté à la grande consternation des péquistes qui croyaient que le soutien syndical leur était acquis. Le Syndicats des fonctionnaires, dirigé par un libéral notoire, Harguindeguy, est particulièrement coriace. Finalement, après une loi spéciale, supprimant le droit de grève pendant quelques mois, mais qui ne sera pas respectée, René Lévesque intervient à la télévision avec un « Point de mire syndical ». Le mouvement de grève s'essouffle et le gouvernement négocie enfin un accord avec le front commun après avoir concédé le 265 dollars par semaine.

Trois ans plus tard, lors de l'affrontement de 1982, le gouvernement récupérera les avantages concédés en 1979. Le mouvement syndical enregistre alors sa première défaite en vingt ans dans le secteur public. Le lien de confiance entre le Parti québécois et les syndicats est rompu. Placées sur la défensive par la récession et l'attitude du gouvernement, les centrales syndicales procèdent à leur tour à un réalignement majeur.

Au Sommet socio-économique d'avril 1982, la FTQ propose un Fonds pour l'emploi. La CEQ est prête à se rallier, mais la CSN et le patronat se montrent réticents. En juin 1982, le programme Corvée-Habitation, une idée de la FTQ, est annoncé. En trois ans, 50 000 nouveaux logements sont construits et autant d'emplois sont créés. Mais la FTQ, surtout présente dans le secteur privé, est confrontée aux nombreuses fermetures d'usines. Elle propose alors la création de ce qui deviendra, le 23 juin 1983, le Fonds de solidarité.

La CSN maintient une politique d'affrontement, qui prend de l'ampleur avec l'élection du gouvernement Bourassa et le conflit du Manoir Richelieu. L'affaire du Manoir Richelieu débute avec la vente, par le gouvernement Bourassa nouvellement élu, de cet hôtel-château à l'homme d'affaires Raymond Malenfant en décembre 1985. En 1987, le conflit éclate. Pour Malenfant, il n'est pas question d'accepter la présence du syndicat, pas plus que celle des anciens employés, jugés trop exigeants à son goût. Le 25 octobre, Gaston Harvey, un résident de La Malbaie, meurt au cours d'une manifestation des ex-employés du Manoir quelques instants après avoir subi une prise de lutte, dite « clé au cou », par des policiers de la SQ. Le président de la CSN, Gérald Larose, lance : « J'accuse la Sûreté du Québec d'avoir tué Gaston Harvey. » La SQ ne mettra pas de temps à réagir.

Au printemps 1987, des bombes explosent à proximité d'établissements appartenant à Malenfant. Des permanents de la CSN sont arrêtés. *La Presse* du 8 juin 1987 rapporte que la SQ projetait d'arrêter Gérald Larose. Finalement, quatre syndicalistes sont détenus pour avoir posé des bombes. Le président de la CSN n'est pas du nombre. Michel Auger du *Journal de Montréal* rapporte alors qu'un des syndicalistes arrêtés, Marc-André Boivin, est un informateur du SCRS. Normand Lester écrit dans *Enquête sur les services secrets* que Marc-André Boivin était un informateur de la GRC, puis du SCRS, depuis le début des années 1970. Sa mission consiste à surveiller les syndicats et les organisations d'extrême-gauche dans la région de Québec. Un des ses hauts faits d'armes est d'avoir fait échouer la manifestation organisée par les syndicats pour protester contre le Sommet de Québec avec Brian Mulroney et Ronald Reagan en mars 1985.

Dans le conflit du Manoir Richelieu, la CSN et son président ont-ils été piégés par Marc-André Boivin, qui prône l'utilisation de la violence, et le SCRS ? Ou encore par la Sûreté du Québec qui voulait se venger des accusations de meurtre proférées à son endroit par Gérald Larose pour la mort de Gaston Harvey ? C'est ce que soutient Normand Lester. Selon un de ses contacts dans les milieux du renseignement, « il y a eu un *deal* entre la CSN, la Sûreté du Québec et Robert Bourassa ». Les quatre accusés ont plaidé coupables et il n'y a pas eu de divulgation de la preuve accumulée par la Sûreté du Québec dans le complot. En échange, la CSN et Gérald Larose, écrit Lester, vont mettre fin « à leurs attaques incendiaires contre la Sûreté du Québec et le gouvernement Bourassa ». La CSN, poursuit Normand Lester, « abandonne sa ligne dure d'affrontement social pour s'engager dans une politique de concertation avec le gouvernement Bourassa ». Cette orientation sera officialisée durant le congrès de 1990.

Sur la carte politique, à gauche, le Mouvement socialiste remplace au début des années 1980 les organisations maoïstes qui se dissolvent. En 1981, le Comité des cent, à l'origine du Mouvement socialiste, lance son *Manifeste pour un Québec socialiste*. Le succès est instantané. Il se vend près de 8 000 copies du *Manifeste*. Ce sera son plus grand succès. Le Mouvement socialiste regroupe principalement des syndicalistes de la CSN et de la CEQ et des professeurs. La FTQ en est, à toutes fins pratiques, exclue. Cela n'est pas étranger au fait que son principal dirigeant soit Marcel Pepin, l'ancien président de la CSN. Le Mouvement va nulle part. Il est déchiré par les conflits avec les trotskistes et les tensions entre l'approche féministe et socialiste. Aux élections de 1985, une tentative de rapprochement est faite pour la mise sur pied d'une coalition électorale avec le Rassemblement démocratique pour l'indépendance, mais les séquelles de l'affrontement de 1982 entre le Parti québécois et le monde syndical sont encore trop vives. C'est un échec. Le Mouvement socialiste présente quelques candidats et récidivera aux élections de 1989, mais sans succès. Il se dissout officiellement en 1992. Le Mouvement socialiste n'aura été finalement que la queue de la comète du mouvement qui avait pris naissance dans les années 1960 et 1970.

Lors du référendum de 1995, les centrales syndicales et plusieurs organisations communautaires uniront leurs efforts à ceux du Parti québécois et du Bloc québécois au sein de *Partenaires pour la souveraineté,* une structure créée à cet effet. Les centrales syndicales ne développent pas un discours indépendant et se retrouvent à la remorque du Parti québécois, ce qui leur vaudra de nombreuses critiques de leurs membres. Mais l'échec référendaire et, surtout, les conséquences du Sommet du Déficit zéro, auxquelles participent les centrales syndicales, provoqueront de vives tensions. La nécessité d'une alternative politique s'impose. En 1998, le Rassemblement pour une alternative politique voit le jour, à la suite d'un appel lancé dans les pages de *l'aut'journal.* Aux élections de 1998, le RAP soutient quelques candidatures indépendantes, dont celle de Michel Chartrand qui récolte 15 % des voix contre le premier ministre Bouchard dans le comté de Jonquière. Mais les résultats combinés de ces candidatures et celles du Parti de la Démocratie socialiste (PDS), l'ex-NPD Québec qui présentait des candidatures dans 97 comtés, totalisaient moins de 1 % des voix. Quatre ans plus tard, l'Union des forces progressistes, née de la fusion du RAP, du PDS et du Parti communiste du Québec, présente des candidatures dans la plupart des comtés du Québec. Son candidat vedette, Amir Khadir, récolte 18 % des voix dans le comté de Mercier à Montréal, mais les résultats d'ensemble sont fort décevants. L'UFP ne récolte en effet que 1,5 % des voix.

CONCLUSION

L'EXTRAORDINAIRE vitalité de notre aspiration démocratique à l'indépendance nationale est sans conteste la principale conclusion de cet ouvrage. Les millions de dollars dépensés par Ottawa et tous les coups fourrés perpétrés contre le Québec n'ont pas réussi à extirper du cœur des Québécoises et des Québécois leur soif de liberté. Au cours des dernières décennies, malgré le contrôle presque complet des principaux médias d'information par les forces fédéralistes, le mouvement d'émancipation a poursuivi sa marche ascendante, s'enrichissant à chaque étape de l'apport des nouvelles générations. Plus étonnant encore, à peine trente ans après sa première formulation véritable sur la scène politique, la souveraineté a reçu l'appui en 1995 de 60 % des francophones, en dépit de l'extrême faiblesse de sa direction politique comme nous avons été à même de le démontrer dans cet essai.

À de multiples occasions, les forces fédéralistes ont proclamé la mort du mouvement souverainiste. Chaque fois, il rebondit avec plus de vigueur, de fougue. Il en sera de même à l'avenir. Cependant, à la différence des rendez-vous précédents, le prochain sera déterminant. Ottawa et Washington savent que la victoire souverainiste est quasi inéluctable lors d'un prochain référendum étant donné la progression continue du soutien à la souveraineté parmi la population. Par mesure préventive, pour en refuser d'avance les résultats, la loi sur la « clarté » a été adoptée par le parlement fédéral, mais soyons assurés que la stratégie première des fédéralistes sera d'empêcher la tenue même d'un référendum.

Dans la formidable épreuve de force qui s'annonce au cours des prochaines années, le camp souverainiste aura besoin de faire le plein de toutes les composantes du mouvement national. L'apport militant, organisé et structuré de la gauche syndicale et populaire, est une nécessité vitale. Cependant, le mouvement ouvrier ne peut laisser la direction du mouvement d'émancipation aux mains des représentants de l'élite économique du Québec. L'expérience nous a montré sa propension à capituler rapidement devant les coups de force ennemis et à se satisfaire de promesses de menues réformes constitutionnelles.

Le mouvement ouvrier et populaire a besoin de sa propre direction politique pour mener à terme cette lutte de libération nationale et d'émancipation sociale. Une direction capable de bien jauger la situation politique, de développer une stratégie appropriée et de conclure les alliances nécessaires avec les autres composantes du mouvement national.

Pour qu'émerge cette direction, il faut que se développe une compréhension profonde et bien documentée de la question nationale québécoise dans ses aspects historiques et contemporains. Nous devons connaître l'état réel de la situation du peuple québécois. Nous avons vu comment Claude Morin et les maoïstes – partant de directions opposées – ont réussi à biffer l'essence de l'oppression nationale. Pour Morin, tout se résume dans l'opposition entre une majorité anglophone et une minorité francophone. Chez les maoïstes, la contradiction nationale est reléguée loin à l'arrièreplan, pour finalement s'effacer devant la contradiction de classe, qui n'est finalement qu'un masque pour camoufler leur collaboration objective avec les forces fédéralistes.

Mais l'entreprise d'éradication de cette donnée fondamentale de l'impérialisme que constitue la division entre nation oppressive et nation opprimée dépasse largement le cadre des efforts déployés par Claude Morin et les maoïstes. Celle-ci est menée rondement depuis plusieurs années par tout un courant d'historiens, d'économistes et de sociologues qui ont évacué les contradictions nationales au profit des contradictions sociales. Notre spécificité nationale a été mise de côté et la société québécoise est présentée dans leurs ouvrages comme une société « normale ». Le travail de déconstruction a été si bien mené que nous n'avons plus aujourd'hui de portrait d'ensemble de la situation réelle de la nation québécoise. Nous ne savons pas où nous nous situons par rapport aux autres nationalités du Canada, au plan économique, social et culturel. Sommes-nous plus riches ? Plus pauvres ? Davantage locataires ? Plus ou moins scolarisés ? Avec un taux d'analphabétisme supérieur ou inférieur ? Nous pourrions multiplier les indices pertinents. Mais, contrairement à ce qui se passe chez les Noirs américains où de telles études abondent, personne au Québec ne semble vouloir s'y intéresser. Les pires mythes peuvent alors circuler comme celui que les Québécois contrôleraient leur économie.

Au cours des dernières années, l'état de la recherche s'est dégradé encore davantage. L'analyse de classe proprement dite a été mise au rebut et remplacée par un foisonnement d'études parcellaires sur différents groupes sociaux – définis selon les critères du sexe, de l'âge, de l'orientation sexuelle, etc – où toute référence nationale et de classe a disparu. De façon parallèle, sur le terrain politique, l'approche marxiste – discréditée après la chute du Mur de Berlin – a été remplacée par une vision de la société basée sur les chartes des droits. Dans cette approche, les mouvements nationaux sont rabaissés au rang du « tribalisme ethnique » et les classes sociales sont fractionnées en une multitude de groupes d'intérêts s'affrontant les uns les autres. Les questions nationale et sociale ont été balayées du discours politique au profit de l'idéologie des droits humains et des chartes des droits. Avec elle, triomphent la mondialisation, le néolibéralisme et, en fin de compte, les intérêts de l'impérialisme américain.

Car c'est au nom de la défense des droits de l'homme que les États-Unis sont intervenus militairement au cours des dernières années en Bosnie, au Kosovo et en Irak. C'est au nom du « droit d'ingérence » mis de l'avant par le

Français Bernard Kouchner que les États-Unis ont bombardé la Yougoslavie et que le concept de guerre « préventive », développé par l'administration Bush pour justifier la guerre en Irak, est présenté comme le prolongement du « droit d'ingérence ».

Le politicologue états-unien d'origine canadienne bien connu Michael Ignatieff, ardent défenseur des interventions militaires américaines, proposait même dans le *New York Times* du 7 septembre 2003 la refonte de l'ONU sur la base de la primauté des droits individuels sur la souveraineté des États, ce qui constituerait un renversement total de l'ordre international et justifierait l'action militaire des grandes puissances partout à travers le monde.

Dans son livre *La Révolution des droits*, paru récemment, Michael Ignatieff déclare que « la Déclaration universelle des droits de l'homme de 1948 a modifié l'équilibre des forces entre les souverainetés nationales et le droit des gens » et permet, au nom du droit d'ingérence, les interventions étrangères dans les pays où les droits sont bafoués. Ce changement, selon Ignatieff, « est probablement le plus révolutionnaire de tous ceux qui sont survenus dans l'ordre européen depuis les traités de Westphalie en 1648 ».

Dans *La Révolution des droits*, Michael Ignatieff cite le Canada et sa Charte des droits comme l'exemple à suivre à l'échelle internationale. Les droits qui trouvent grâce à ses yeux n'incluent évidemment pas le droit du Québec à l'autodétermination. Au contraire, sur un ton menaçant, Michael Ignatieff nous fait part de ce qu'il considère être « la vérité du Canada anglais ». Il écrit que « la Conquête britannique de 1763, loin d'étouffer le fait français en Amérique du Nord, a apporté l'autonomie aux Canadiens français pour la première fois ». Puis, martelant que « la vérité est la vérité, le droit est le droit », il en remet et affirme que c'est la Conquête qui « a assuré la survie d'un Québec démocratique en Amérique du Nord ». Le message d'Ignatieff est drôlement clair : même s'il franchit tous les obstacles placés sur son chemin – campagne de commandites fédérales, chantage économique, menaces de partition, loi sur la « clarté » –, le mouvement d'émancipation de la nation québécoise se butera, même au terme d'un référendum gagnant, à la « vérité » du Canada anglais.

Que les États-Unis aient adopté à leur naissance le *Bill of Rights* et créé la Cour suprême avec comme objectif, dans l'esprit des Pères de la Constitution états-unienne, non pas une plus grande démocratisation, mais la défense des intérêts de la classe dominante contre les tendances nivellatrices de la démocratie, se comprend aisément. Que la puissance américaine ait imposé aux pays européens, au lendemain de la Deuxième guerre mondiale, l'adoption par ceux-ci de chartes des droits pour empêcher la France et l'Italie de devenir communistes est cohérent. Que Pierre Elliot

Trudeau ait doté le Canada d'une Charte des droits pour invalider les dispositions de la loi 101 et enfermer le Québec dans un corset juridique et constitutionnel est l'évidence même.

Mais que la gauche québécoise ait fait sienne l'« idéologie » de la charte des droits, que le mouvement marxiste se soit transformé en mouvement « chartiste » et que l'« idéologie des droits » se soit infiltrée au cœur même du mouvement nationaliste au point où il est aujourd'hui idéologiquement dominant sous la forme du soi-disant « nationalisme civique » dont les promoteurs cherchent à redéfinir la nation québécoise en élaguant toute référence historique et nationale ne peut mener qu'à la répétition des erreurs stratégiques et combinées du mouvement marxiste, du mouvement maoïste et du mouvement souverainiste. Et que le gagnant par défaut soit à nouveau la seule droite.

Quelque trente années après le débat fondamental de 1972, dans le nouveau contexte de la globalisation, alors que se liguent contre le Québec les forces du capital anglo-saxon chapeautées de leur nouvelle idéologie impériale de la mondialisation, l'interpellation célèbre de Pierre Vallières retentit avec toute sa pertinence. Le mouvement syndical et populaire, et la gauche québécoise, sont à nouveau confrontés à l'urgence de choisir.

Bibliographie

BÉLANGER, Yves, *Québec Inc., L'entreprise québécoise à la croisée des chemins*, Montréal, Éditions Hurtubise HMH, 1998, 202 p.

BLANCHARD, James J., *Behind the Embassy Door, Canada, Clinton, and Quebec*, Toronto, McClelland & Stewart Inc., 1998, 300 p.

CHARRON, Claude, *Désobéir*, Montréal, VLB éditeur, 1983, 356 p.

CLÉROUX, Richard, *Pleins feux sur les services secrets canadiens, révélation sur l'espionnage au pays*, Montréal, Éditions de l'Homme, 1993, 494 p.

DUCHESNE, Pierre, *Jacques Parizeau, Biographie 1930-1970, tome 1, Le Croisé*, Montréal, Québec Amérique, 2001, 623 p.

DUCHESNE, Pierre, *Jacques Parizeau, Biographie 1970-1985, tome 2, Le Baron*, Montréal, Québec Amérique, 2002, 535 p.

FAVREAU, Louis, L'HEUREUX, Pierre, *Le projet de société de la CSN, de 1966 à aujourd'hui*, Montréal, Centre de formation populaire/Vie ouvrière, 1984, 269 p.

FOURNIER, Louis, *F.L.Q., Histoire d'un mouvement clandestin*, Montréal, Québec Amérique, 1982, 509 p.

FOURNIER, Louis, *Histoire de la FTQ, 1965-1992, La plus grande centrale syndicale au Québec,* Montréal, Québec-Amérique, 1994, 292 p.

FRASER, Graham, *Le Parti québécois,* Montréal, Libre Expression, 1984, 432 p.

GADDIS, John Lewis, *We Now Know, Rethinking, Cold War History,* Oxford, Clarendon Press, 1997, 425 p.

GAGNON, Charles, *Le référendum, Un syndrome québécois,* Montréal, Éditions de la Pleine Lune, 1995, 98 p.

GAGNON, Charles, *Pour le parti prolétarien,* Montréal, L'équipe du journal, 1972, 49 p.

GODIN, Pierre, *René Lévesque, Héros malgré lui,* Montréal, Boréal, 1997, 736 p.

GODIN, Pierre, *René Lévesque, L'espoir et le chagrin,* Montréal, Boréal, 2001, 631 p.

GODIN, Pierre, *La Fin de la grande noirceur – La Révolution tranquille, vol. 1 (nouvelle édition de Daniel Johnson, tome 1),* Les Éditions du Boréal, 1991.

GODIN, Pierre, *La Difficile Recherche de l'égalité – La Révolution tranquille, vol. 2* (nouvelle édition de *Daniel Johnson, tome 2*), Les Éditions du Boréal, 1991.

GODIN, Pierre, *La Laurentienne, La passionnante aventure d'un groupe financier à la conquête du monde,* Montréal, Québec Amérique, 1998, 482 p.

GREBER, Dave, *Paul Desmarais, un homme et son empire,* Montréal, Les éditions de l'Homme, 1987, 347 p.

IGNATIEFF, Michael, *La Révolution des droits,* Montréal, Boréal, 2001, 14 p.

KEABLE, Jacques, *Le monde selon Marcel Pepin,* Montréal, Lanctôt éditeur, 1998, 340 p.

LAFOND, Jean-Daniel, *La liberté en colère, Le livre du film,* Montréal, L'Hexagone, 1994, 170 p.

LE BORGNE, Louis, *La CSN et la question nationale depuis 1960,* Montréal, Éditions Albert Saint-Martin, 1976, 207 p.

LESTER, Normand, *Enquête sur les services secrets,* Montréal, Les éditions de l'Homme, 1998, 373 p.

LISÉE, Jean-François, *Dans l'œil de l'aigle, Washington face au Québec,* Montréal, Boréal, 1990, 577 p.

MORIN, Claude, *Mes premiers ministres, Lesage, Johnson, Bertrand, Bourassa et Lévesque,* Montréal, Boréal, 1991, 632 p.

MORIN, Claude, *Les choses comme elles étaient, Une autobiographie politique,* Montréal, Boréal, 1994, 494 p.

NEWMAN, Peter C., *Titans, How the New Canadian Establishment Seized Power*, Toronto, Viking, 1998, 650 p.

PIOTTE, Jean-Marc, *Du combat au partenariat, Interventions critiques sur le syndicalisme québécois*, Montréal, Éditions Nota bene, 1998, 269 p.

MINISTÈRE DE LA JUSTICE, Gouvernement du Québec, *Rapport de la Commission d'enquête sur des opérations policières en territoire québécois*, Québec, Gouvernement du Québec, 1981, 440 p.

ROUILLARD, Jacques, *Histoire de la CSN, 1921-1981*, Montréal, Les Éditions du Boréal/CSN, 1981, 335 p.

RUDIN, Ronald, *Faire de l'histoire au Québec*, Québec, Septentrion, 1998, 278 p.

SANSFAÇON, Jean-Robert, VANDELAC, Louise, *Perspectives-Jeunesse, le programme cool d'un gouvernement too much*, 1976, 53 p.

SIKLOS, Richard, *Shades of Black, Conrad Black and The World's Fastest Growing Press Empire*, Toronto, Minerva Canada, 1995, 474 p.

VALLIÈRES, Pierre, *Nègres blancs d'Amérique, Autobiographie précoce d'un « terroriste » québécois*, Montréal, Éditions Parti pris, 1967, 402 p.

VALLIÈRES, Pierre, *L'Urgence de choisir*, Montréal, Éditions Parti pris, 1972, 158 p.

VALLIÈRES, Pierre, *Les Héritiers de Papineau,* Montréal, Québec Amérique, 1986, 281 p.

VALLIÈRES, Pierre, *Paroles d'un nègre blanc, Anthologie préparée par Jacques Jourdain et Mélanie Mailhot,* Montréal, VLB Éditeur, 2002, 284 p.

VASTEL, Michel, *Landry, le grand dérangeant,* Montréal, Les éditions de l'Homme, 2001, 444 p.

ZINN, Howard, *Une histoire populaire des États-Unis, de 1492 à nos jours,* traduit de l'anglais par Frédéric Cotton, Montréal, Lux, 2002, 811 p.

TABLE

CET OUVRAGE COMPOSÉ EN CASLON 224 12 PTS
A ÉTÉ ACHEVÉ D'IMPRIMER À BOUCHERVILLE,
SUR LES PRESSES DE MARC VEILLEUX IMPRIMEUR,
EN OCTOBRE DEUX MILLE TROIS.